盖尔·布兰克◎著

林丽冠◎译

天津教育出版社

TIANJIN EDUCATION PRESS

本书简体中文版由墨水瓶管理有限公司通过安德鲁·纳伯格联合国际有限公司授权天津教育出版社在中国大陆地区出版发行。

版权合同登记号　图字　02-2010-62

这有什么难的,不过是丢东西

本书之所以能够问世,其一是我 14 岁那年的夏天,母亲扬言要把我所有抽屉里的东西倒出来:"赶快扔掉那些垃圾,马上!"其二是父亲告诉我:"亲爱的,扔掉所有拖住你的东西。**要穿过一大堆碍手碍脚的杂物,就像在游泳池里行走,很难走到你想到达的目的地。**"我确实是个幸运儿。

虽然我有很好的遗传基因,但我也不是天生就有这种"丢掉"的本领,我必须在生活的各种领域,培养出放手、丢弃以及按下"删除"键的热情。如果你已经掌握本书的精髓,很有可能的情况是:你既非整理专家,也不是清理杂物的高手,但是你有一种渴望(也许还算不上是热情)——你想要大肆整顿,好"迅速开始"下一个阶段的人生。

你会在本书中看到许多跟你一样的人,他们也有相同的渴望。你们还有一个共同点:你们都具有勇气。要有勇气,才能抛开过去;要有勇气,才能真正作出抛弃部分或全部东西的决定。

许多人非常大方,愿意让别人分享他们的故事。对这些人而言,丢掉50样东西并非一件总是(经常,但不会总是)很有趣的事,但是他们能鼓足勇气做到这件事,而且在某些情况下,这种做法改变了他们的人生,也会改变你的人生。

◎ 你只是把不属于你的部分拿掉

每当有人问起我的顾问工作是做什么,我都会说,我用的是"米开朗基罗方法"(Michelangelo Method)。

通常对方会一脸疑惑地问:"那是什么? 没听说过。"我总是会回答:"你一定听过米开朗基罗的故事,他用大理石雕刻出著名的大卫像。完成后,当地一位艺术赞助人一看到雕像,马上惊为天人,赞叹地说:'你怎么知道要这样雕刻大卫? 我不懂……'据说,一向率直的米开朗基罗回答:'噢,大卫一直都在大理石里,我只是把不属于大卫的部分拿掉。'"

我的工作做的就是这件事——帮人去除所有不相关的"大理石";突破人生路上的障碍、废物,一切有形或无形的杂物,替人凿出路来,协助人们带着自己最好的部分,进入人生下一个辉煌的阶段。

我们的生活充满过去的残骸,从早就干掉的胶水,到不知何时跟别人结下的恩怨,五花八门。让人纳闷的是,我们还是可以毫不在意,照常在清晨醒来、上班、照顾一家大小,按部就班地做事。而且生活在信息时代,整理过去的残骸对我们帮助也不大,因为飞舞的残骸无时不从四面八方轰炸我们,它们以新闻、媒体的形式,出现在电视、广播、手机、网络和空中,将我们淹没。这些残骸往往是生活中不需要的大理石(或许用垃圾来形容更恰当),是世界上、自己身上以及生活中所有已经或可能出问题的东西。

我不是说我们不需要获得新信息,新信息还是必要的,生活在运转中的星球上,我们得知道必须采取哪些行动,才能让地球继续运转。但我们如果被困在大理石里(而且大多是自己制造出来的大理石),就会无法前进,甚至动弹不得。

怎么办? 你得凿出自己的路,破除眼前堆积的障碍,跨过残骸,才能找回100分的自己。就是现在! 我不是在说笑,人生的动脉一旦塞住,会让我们无法得到快乐,让别人无法快乐,让我们无法继续前进。

◎ 拜托！马上丢

我是自然而然产生这种"放手"以及鼓励他人放手的迫切感的。我母亲是处女座，你真该看看她的抽屉。如果她要你帮她拿东西，她会说："就在衣柜左边第三个抽屉里的右手边，里面那叠东西最底层的后面。"讲的位置从没出过错。我是水瓶座的。我不是说水瓶座是十二星座里的懒惰虫，我的意思是，我会把东西收进抽屉里，只是我不一定知道什么东西放在哪个抽屉。难道说，某些星座人的抽屉就是会比较乱？或许吧。

大约在我 14 岁的时候，有一次，我母亲扬言要把我所有抽屉里的东西倒出来，好教会我如何整理东西。还好她没有真的这么做（遗憾的是，恐怕这辈子我的抽屉都无法和她的抽屉相比）。不过她还是教会我一件事情：丢东西。

"如果你不知道该怎么处理、该摆在哪里，当初为什么会买下它？如果看到它就会沮丧，那就丢掉！"她会这么说，"绝对不要留下任何让你看起来很沉重或是感觉很沉重的东西。"

结果证明，我母亲在很多事情上都是对的，其中最棒的一项就是丢东西的规则。每次她要我们丢东西，都是要我们**马上丢掉，一刻都不准拖延**，我把这项做法称为她的"马上丢"（Do it now or oh, brother）心态。

所以我在指导企业时，总是要人丢东西，也就不足为怪了。我要人家丢的还不是几件东西而已，在结束第二次或第三次研讨会时，我会要求每位学员回家丢掉 50 样东西。这时，通常我会一脸严厉地说："我得先说，所有的杂志和型录（编目、目录、样册）只能算一样。你丢掉 100 本也只算一样。"对方往往会用难以置信的眼神瞪着我（但只管丢吧，无论如何都要丢掉 50 样东西，这样你会马上觉得神清气爽）。他们会说："算了吧！我已经翻遍衣柜，能丢的都丢掉了。"但是我不会就这样算了，就像我母亲也不会就此罢手一样。

◎ 只要丢上手，就停不下来

我不只要他们丢掉 50 样东西，还要求他们列出明细。说真的，要开始第一步并没那么难。想想看，你长年保存一只耳环，一直期望另一只出现，但它就是不会出现，那么扔了吧。你有这么多缺了一只的袜子(我知道，放进烘衣机时它们是成对的，我也很困惑它们怎么了，难道会突然出现在别人家的烘衣机里吗? 我不知道)，扔了它们。你的皮手套缺了一只，但你觉得丢掉皮手套不太好，没关系，扔了吧。你有很多过时的化妆品，扔进垃圾筒。你的厨房里有个抽屉，里面有好几年前的收据、一大堆零钱，还有早就干掉的胶水。你知道抽屉里面还有什么吗? 钥匙，几十年都没有用来开过任何锁的钥匙。但是你觉得丢掉钥匙不好，钥匙很重，而且碰到垃圾桶底部会发出铿铿锵锵的声音。别在意，把它们扔掉，全扔掉。

丢掉东西的原因在于：一旦你开始丢弃许多有形的杂物(你一上手，就会停不下来)，新的推动力就会开始作用。你会问："那我脑袋瓜里的杂物怎么办? 究竟还有哪里可以放些什么东西? "接下来，你会触及真正的核心。

显然，就是脑袋里的杂物把你拖下水，阻碍你进入生命中下一个重要阶段——这个阶段充满了希望、快乐、冒险以及最棒的一点：成就感。**你若经常沉湎过去，就无法迈向未来。**所以，你除了要扔掉无法成双的袜子、过时的口红，也要扔掉内心沉积已久的懊恼、遗憾、愤恨、屈从、患得患失等想法；你要抛开那些"差一点就成功"的回忆(我们都曾遇过这种情况)，摆脱内心一直提醒你自我设限的声音。

◎ 内心的声音往往是还没尽力的警讯

你认得那些声音。每当你觉得精力充沛，满怀信心，要为人生建立远大的新目标时，来自过去的声音就会说："别太急! 年轻人，你做不到的! 你时间不够，精力不够，资金不够，反正大环境绝不会让你如愿的! "

说到自我设限的声音，每当你要大展宏图，试图走出舒适圈，展现能力的时候，你就会听到这些声音。这无可避免，不过也没关系。事实上，我会建议，如果你进行某件事几个月，却没听到任何这类声音，你很有可能行事过于谨慎，在应该跑到运动场上的时候，还流连在看台上。但只要进入竞赛，就会听到这种声音。这时你该感到庆幸，并且说："我一定要使出浑身解数，放马过来吧! "

再进一步谈谈这些声音。你看过电影《美丽心灵》(*A Beautiful Mind*)吗? 如果看过，你会记得主角是罗素·克洛所饰演的约翰·纳什。纳什绝顶聪明，是举世闻名的数学家和1994年诺贝尔经济学奖得主，他罹患妄想性精神分裂症，会幻想和幻听到有人跟他秘密互动，干扰他的生活。这个重症几乎毁掉他的事业和婚姻，甚至危及他所爱之人的生命。

影片的尾声，纳什在母校普林斯顿大学教书，诺贝尔奖委员会的一位委员和他一起喝茶，想要在非正式的场合判断他是否"够资格"获得诺贝尔奖。他问纳什："所以，你仍然会，呃，你知道，呃……"纳什帮他把话讲完："看到他们吗？对，他们还在那里，但是我选择不承认他们的存在……就像我们所有的美梦和噩梦，你得继续喂养他们，他们才能生存下去。"

我认为，如果纳什终其一生，随时都会看到、听到那些试图破坏他生活的麻烦家伙，却能选择不承认他们的存在，我们也能够办到。每当那些负面的声音，像是"哪有这么快""你以为自己是谁""我们先这么过下去吧"等充斥大脑，我们可以对自己说："今天不行，今天我不听这些声音，我有我的任务要完成，今天不行。"

◎ 只要该丢，人也要丢掉

说个真实故事给你听。不久前，有一名女学员拿着她的丢弃物件清单到我办公室来，但却不想谈清单的事。她撕下一页约翰·纳什的剧本，专注于探讨她觉得很重要的部分，而且只谈这部分。几个星期前，当她离开我办公室时，对于丢掉每样拖住她、阻碍她的东西，都表现出非常坚定的态度。那时，连我都不知道她有多么坚定。

"说嘛，"我说，"你丢掉什么东西？"

最后她说了："好啦，我说。上次研讨会结束后，我把跟我一起生活十一年的家伙给扔了！我终于了解，他就是拖住我、让我心情沉重的家伙。"

"不过盖尔，"她一脸忧心地说，"我还是得再扔掉49样东西吗？"

"今天先这样就好，这星期你好好休息，我相信你很快就能扔掉剩下的49样东西！"

好，现在该你了，准备开始大丢特丢吧！

◦◦◦ 启动清仓冲动

你是否注意过,每当你趁着换季将衣柜大清仓后,会感到如释重负?衣柜越满、越乱、越接近撑破,你对清理工作就会越感到兴致勃勃,更别提完成后会有多骄傲了。一旦"清仓冲动"(the urge to purge)对我起了作用,只要家人被我逮个正着,我就会不停地问:"啊啊,要不要瞧瞧我的衣柜?"

我个人认为,**我们不够重视清理杂物所带来的轻松感和骄傲感,我们让肯定自己的片刻稍纵即逝,从不赞美这种行为伴随而来的精神能量。**更可惜的是,我们没有好好运用这种崭新、轻松的精神能量,推动自己前进。但是这种情况可以改变,我们可以定期清理生活中堆积的杂物,并且利用这种行为带来的动力,追求自己想要的生活。

所以就从现在开始吧!每月、每周甚至每天,开始固定丢掉一些东西,抛开一些事物,而且要邀请你关心的人加入你的行动行列。你想象得到你会释放出多少能量,创造出多少正面动力吗?你可以改变你周围的世界。

◦◦◦ 丢弃规则

你知道要丢掉哪些东西吗?丢弃规则很简单:

第一,任何事物,不管是看法或信念、回忆、工作,甚至某个人,只要让你心情沉重、阻碍你或单单只是让你对自己有不好的感觉,那就把它或他丢掉、送走、卖掉、抛开,继续前进。

第二,如果它(请参阅第一点)只是摆在那里占空间,对你的人生毫无正面贡献,那就把它扔掉、送走、卖掉或抛开,继续前进。因为不进则退,**丢掉负面的东西,可以帮你重新发现正面的事物**。

第三,无论要丢还是要留,都不要让决定变得很困难。如果你得花很长的时间权衡利弊或是烦恼不知该如何是好,那就丢掉!

第四,别害怕。这是你的人生——你唯一确信丢不掉的东西。你没有多余的时间、空间或精力留给那些有形还是无形的杂物。

●●● 丢掉 50 样东西

你会很惊讶，原来丢掉 50 样东西这么简单。现在，我得声明，要丢掉 50 样东西，并不是基于随便的原因。只要你丢掉 50 样东西，就会启动某种奇妙的动能；你会在不知不觉中把丢东西变成一种习惯，一种持续的心态。然后，真正的好事会发生：你掌控自己的人生，你开始过你的生活，生活再也无法摆布你。

你看过或读过剧作家尤金·尤奥斯高(Eugene Ionesco)的剧作《椅子》(*The Chairs*)吗？如果有，你应该记得最后一幕，舞台上出现很多张椅子。没错，只有椅子，没有人。那是因为，尤奥斯高所要表达的重点是：如果不注意的话，到最后，我们会沦为物质的奴隶，生活中的物质拥有我们，而不是我们拥有物质。物质历久不变，人却不行。

但我们不会让那种情况发生的。

●●● 如何使用本书

为了方便读者阅读，本书分成四部分：

在第一部分"清爽的家，会发生好事"，我们一起穿过家里的主要区域，从厨房里的老抽屉、药柜，乃至储物间最深的角落，我们一起鼓起勇气，抛开阻碍生活、让人沉重或根本毫无用处的东西。另外，我可以很明确地告诉你，这项激发勇气的行动，绝对符合"绿色"环保。

在第二部分"工作，更有冲劲"，我们进入办公室（不论那地方位于高耸的摩天大楼或只是卧室里的小角落），扔掉堆积在那里的残骸。这些东西会削弱你在新任务、新公司甚至新职业中顺利发展的力量。

在第三部分"情绪怎么丢"我们追求真正美好的事物。因为只要你做好热身准备——丢弃所有的实体杂物，你就可以用愉快美好的一天，处理心灵和情绪残骸。你会很诧异，你脑袋瓜里怎么能累积一大堆没用的垃圾？你甚至会更讶异，丢掉那些东西后，会有多么轻松、愉快，甚至连脚步都轻盈许多。朋友，在第三部分结束时，你就会丢掉 50 样东西。事实上，我觉得你会扔掉超过 50 样东西，不管怎样，我们都该庆祝一下。

接下来，在第四部分"凿开大理石后，要……"，我要帮你弄清你的本质。在这里，你会确定你在核心本质上是个什么样的人、你对"美好"有何看法、你要如何度过下一个精彩的人生阶段。在这里，你也会用从容和自信的态度，找到自己要带着向前迈进的事物，学习成为一个令人难忘的人。

为了协助你持续仔细追踪所有的丢弃物件，你可以利用每一章结尾的丢弃物清单或登录 www.throwoutfiftythings.com 下载《丢弃 50 样东西练习簿》（*Throw Out Fifty Things Workbook*）。丢掉 50 样东西后，可否请你将丢弃物清单张贴到网络上？我敢断定，你一定有一些很棒的故事可以告诉我们，将心得分享出来，这样可以激励别人也开始丢掉 50 样东西，接着他们也会鼓励别人。在不知不觉中，我们就创造出"丢掉 50 样东西运动"。

展开行动吧！

要怎么做呢？首先，我们先收集一些工具，让"丢掉 50 样东西"变得非常轻松。然后你就可以拿出练习簿或笔记本，让我们一起前往你的卧室。

你可能会问："但是盖尔，我要用多少时间可以完成？"

"两个星期，我的朋友，14 天就够久了，真的。"

◦●◦ 开始进行

在进入卧室之前,请先找到下列工具(你家里可能有这些东西):

①耐用的**垃圾袋**(用那种不透明的袋子,这样的话,东西丢进去后,你就再也看不到了)。如果刚好有一些快递或是搬家留下来的纸箱,用纸箱也行。

②一本中型尺寸的**便利贴**,用来标示你的袋子。

③一枝**防水记号笔**,用来写便利贴。

④一盒一加仑(3.785升)的大型**密封袋**,用来装每一样要丢掉的物品或是饰品之类的东西。

⑤**封口胶带**,用来粘牢纸箱和袋子、修补袋子上的破洞,确保贴在袋子或纸箱上的便利贴牢牢固定。

你到每一个房间找出要丢弃的东西时,都要随时带着上述工具。

先从三个大袋子开始。第一个是垃圾袋,拿出记号笔,在一张便利贴上写下"**垃圾**",然后贴到一个袋子上。这有什么难的,你已经开始丢东西了!只要是撕破、扯坏、肮脏不堪或是因为破损、残缺而真的无法再使用的东西,统统丢进垃圾袋,这个垃圾袋肯定会跟着垃圾一起被丢掉。

接下来是**捐赠**袋。一样在袋子贴上类似的便利贴。请注意,收容所接受配错的成对物件:如袜子和手套等,他们会在那里把东西配好再分送出去。

第三个袋子请贴上写着"**出售**"的便利贴。在这个袋子里,你可以放进你想要出售或是送去寄卖店的所有东西。对了,如果你需要抹布,随时可以准备第四个袋子,把所有单只的袜子、破掉的毛巾或磨损的被单放进去。在我们家,下雨的时候会用破毛巾给小狗擦干身体。

现在,你可以开始认真进行这项工作了。

目 录
Contents

第 1 部

清爽的家，会发生好事

在卧室里学做决定

我想要成为怎样的人？我的衣服、这房间,能代表我定位自己的方式吗?

我们先来回忆一下"丢弃规则"：如果它（衣服、鞋子、灯等任何东西）让你心情沉重、让你对自己有不好的感觉或占空间且毫无用处，就得扔掉它；如果你发现自己花太多时间思考该丢还是该留，也得扔掉它；最后，不要害怕，这是你的人生，我们正在排除阻碍你人生的一切事物。现在就开始行动。

先从简单的开始着手，总是比较容易做到。只管走进卧室，四处察看。你看到什么？有何感觉？你喜欢待在卧室吗？你觉得放松、平静，甚至神清气爽吗？我对自己的卧室就没有这种感觉，至少还达不到我期望的程度。

告诉你，我在我房间看到了什么：我看到五年前买的、让我沮丧的装饰用枕头。我不知道怎么讲才对，我想要的是明亮、活泼的房间，但这枕头颜色太暗、太华丽，跟房间不协调。而且，其中两个枕头的角，还留有被我们家十个月大的小狗咬过的痕迹（如果我把所有被它咬过的东西全都扔掉，我很快就能凑到 50 样……但我家也很快就会家徒四壁）。

无论如何，这枕头该扔了（记住，成组的东西多半只算一样，所以尽管我丢掉五个令人沮丧的枕头，我只能在记事本中列出的"枕头"旁边写下"一"项），我把枕头丢进"捐赠"的大黑袋，打算捐给慈善机构。如果我把枕头放到阁楼上或是我丈夫的衣橱后面，会非常省事（相信我，他不会发现的），但东西会一直在那里。**我们要做的是把东西丢掉，不是把东西挪来挪去。**

那我们打开第一个抽屉吧。里面的东西都没有问题吧？有缺一只的袜子吗？所有单只的手套呢？你准备戴两只不同颜色的右手手套，还是要再等几年，看看另一只会不会出现？还有，你的亲戚每年都会送你的那些尺寸不合的衣服呢？他不会知道你扔掉的，而且你是捐出去。这些衣服很棒，但就是不适合你。

还有，就在你和整个部门突然被旧公司裁撤掉的两个星期前，你勉强参加的公司旅游——你还说这是"苦中作乐"，记得吗？——当时所穿的 T 恤该不该扔？扔掉吧，它不值得你穿上它，甚至不值得你穿去慢跑，因为每次你穿上它，都会觉得被裁员，好像是因为你出了错、你应该要有不同的作为、也许你不够好，本来就该被裁员。

听起来很荒谬，但我们就是会这样：出问题的时候，觉得是自己造成的；一帆风顺的时候，却不觉得是自己促成的！现在你认识到，T

恤可以扔了，怪罪自己的理论也可以扔了，全都扔掉。

我们在检查抽屉时，可以想着我好友芭芭拉·布伦南的弃物技巧，也就是她的"定期清理"理论。她说："我从小就在杂物堆中长大，所以四周有成堆的东西会让我觉得特别舒服，只要我知道那里有什么东西就好啦。"

我喜欢四周堆满杂物会"特别舒服"的看法。知道自己能接受什么、受不了什么，这是件好事，你未必要迎合别人视整洁为天经地义的看法，不是吗？

"但是我住在舒适的纽约公寓，"芭芭拉继续说道，"舒适表示'衣橱空间必须有所节制'，所以我不能让那些杂物堆得太高。"芭芭拉避免杂物泛滥，尤其是杂物堆得比她还高，她的做法是**一次处理一个抽屉或架子**。"我大约一个月会清理一个区域，也许是一个首饰抽屉或衣橱里的一个架子，那不会太费事，也不会太耗时，但是完成之后，我总是会觉得很舒服、如释重负，而且更能集中精神，对自己更满意。"我喜欢她的态度：做就对了，别把事情想得太严重。

谈到首饰抽屉，我敢说你一定有一个抽屉专门拿来放搭配服装用的饰品，我就有一个，而且里面乱七八糟。我曾经在雅芳（Avon）工作，每两周会收到几件最新一期雅芳广告主打的新饰品。等等，这些巨大的金属耳环是哪里来的？戴着它们看起来一定像怪胎，不过它们价值不菲，而且拥有某种魅力，有那么几分味道，我无法直接丢进垃圾桶里。

但是我已经受够了那种过时的风格，根本不想再戴那玩意儿了。我会把它们（五对，但是只算一样东西）放进小型密封袋，捐给慈善机构或是送给我觉得可能会喜欢的人……有个朋友的小女儿在盛装打扮时，可能会喜欢戴这种耳环。你准备把你到牙买加旅行买的那些旧珠子扔掉吗？那就扔吧！就算送人也好。你已经四年多没有戴过或穿过这些东西了，但别人很可能会爱不释手。

到目前为止，我们已经丢掉多少样了？我有三样，你也有三样，我们做得还不错。

听着，你在翻找东西时要注意，你觉得受够了的东西，别人可能会很喜欢。有个故事可以支持我的看法。

几年前，我们为职业妇女举办一场生活设计 (Lifedesigns) 研讨会，协助她们在创造成功事业之余，也能过着快乐满足的生活。在研讨会第一天，我们讨论生活中令我们生气或失望的各种事情，也就是我们想要忘怀的事情。

有位名叫凯莉的女士谈到，她 10 岁生日时非常失望，因为她没有得到心里一直很想要的礼物：几十年前小女孩之间很流行戴心形手链。更糟的是，住在她家的表姐隔周庆祝生日时，得到一条这样的手链。凯莉很伤心，对表姐既嫉妒又生气。其实，她因为那次生日，对她表姐记仇数十年，多少是在怪她表姐得到自己很想要的手链。"我知道这听起来很可笑，但我到现在还是无法完全释怀。"47 岁的凯莉说。

那天下午，我请与会者回家丢掉 50 样东西，并且要准备好在隔天早上向其他学员报告（我在研讨会第一天结束时都会这么做）。第二天，另一位与会者玛丽·贝丝笑嘻嘻地提前来找我。"猜猜看我找到什么，"她笑容满面地说，"一条心形手链！它就放在我房间摆杂物的抽屉底部。我们可以把它送给凯莉！"

我们不仅把手链送给她，还用包装纸包好，另外又买了一个插上十根蜡烛的蛋糕，声嘶力竭地大唱："亲爱的凯莉，10 岁生日快乐！"

她当然吓了一跳，而且非常感动。我们全都很感动。

我们继续看衣橱。不知道怎么回事，我的衣橱不知不觉变得愈来愈拥挤、杂乱，我觉得可能是因为我真的很忙或是纽约的四季不够分明，冬天偶尔需要轻薄一点的衣服，夏天不时需要厚一点的衣服，所以衣服在衣橱里挤成一团。又或者，可能是因为女儿凯特（Kate）、阿比盖尔（Abigail）和我偶尔共穿一些衣服，这些衣服最后全都进了我的衣橱。我们三人穿的鞋子尺码相同（这点很好），全都有恋鞋癖（这点不好），所以我衣橱的地板变成她们失宠鞋子的贮藏处，但是她们准许我借穿鞋子。事实上，上述所有借口都不合理，无法成立。

我的衣橱乱成一团，真正的原因是：①我永远没办法像我妈妈整理得那么彻底，所以就懒得花心思整理；②要将东西分类和丢弃，需要作一些决定，作决定是让人精疲力竭的程序。

你知道，我必须弄清：什么东西重要，什么东西不重要；我真正需要什么，不需要什么；什么东西可能会恢复流行，什么东西再过100万年也不会流行；什么东西不管流不流行都很适合我，什么东西打从一开始就不适合我；什么东西会让我的身体或心里觉得沉重，什么东西让我觉得轻松乐观；什么是我，什么不是我。光是思考这些就

回收运动鞋

你知道旧运动鞋可以回收吗？耐克(Nike)有一个运动鞋回收计划(Reuse-A-Shoe，网址是 www.letmeplay.com/reuseashoe)，回收各种品牌的旧运动鞋，分割磨碎后用来铺设球场和田径场的地板。

按:在中国暂还没有这项回收计划。

会让我筋疲力尽。而且，不作决定总是比较简单，这样一来就有退路了，对吧？

决定不作决定或决定稍后再作决定，其实就是犹豫不决！这是生活中出现杂物（实体、情绪或心灵）的头号成因，如果决定不了衣橱里哪些东西应该扔掉，那要怎样决定我们的心灵衣橱（mental closet）里有哪些东西应该丢弃？那里面充满了犹豫不决的残骸。光是"决定不作决定"的想法，就为犹豫不决（mind boggling）这个词汇增添了新意，对吧？但是我们不该被犹豫不决的魅力所诱惑，我们可以咬紧牙关，尽管放手去做。

我可以告诉你，我妈妈并没有花很多时间权衡东西去留的利弊，她当机立断，绝无二话。**聪明的人让事情变得困难，高明的人让事情变得容易**。我妈妈很高明。我的衣橱，更别说我的抽屉，从来都不像她的那么整齐。但无所谓，我会用我的方式来处理。

所以我们再看一下衣橱，集中精神，根据我们拥有的东西来决定自己的角色和定位。拿出纸箱、大黑色塑胶袋、密封袋和便利贴，让它们保持敞开，放在手边，在塞满它们的时候，发出微笑。

我决定扔掉挂在衣橱里的三套套装，我已经至少七年没有穿过这几套衣服了，它们还完好无损，但不再适合我了。十年前我自己开公司后就不再穿得那么正式；我从穿着中得到更多乐趣，发挥更多创意，我的客户似乎也从中得到乐趣，所以这些死气沉沉的套装可以扔了。

我认识一位很棒又有趣的女士，名叫塔拉（Tara），她非常慎重看待衣物去留的决定，事实上，她将"扔掉"发挥到极致。她扔掉一切东西，真的是一切。她扔掉每一件衣服：从晚礼服到慢跑短裤、从夹脚拖鞋到普拉达名鞋，从上班的套装到泳装，无所不丢，甚至还扔掉所有的内裤和睡衣。一切都扔掉。

其实也不是全部，她保留了一件她妈妈多年前留给她，庆祝她找到第一份"真正的"工作的漂亮套装。那套衣服已经不适合她，款式也过时了，但是它代表她生命中的一个里程碑，一个偶尔值得重新庆祝的里程碑。注意我们留下和扔掉的东西，是一件有趣的事，不是吗？重点在于，保留和扔掉都要有理由，这样才能作出决定。

记住，如果那样东西让你觉得难过，对你的生命就没有多大意义，你若花太久的时间苦苦思索去留，那就扔掉它。相反，如果那样东西让你感到满意，让你对它有正面的情感依附，那无论你是否会再度"使用"它，你都应该保留。**我们不是纯粹为了创造整洁或井然有序的生活而丢东西，而是弄清自己的角色，决定哪些东西现在对我们而言很重要，所以记得做这件事时，要时时问自己一个问题："我到底在这里做什么？"**

以塔拉的情况来说，她扔掉所有的衣服（除了那件"特殊套装"以外），是因为她想要彻底改造自己，而且她决定，如果她改变外观和打扮方式，她就可以用不同的方式看待自己。"我已经和过去的我断绝关系，"她说，"我觉得自己就像破茧而出。"的确，新的塔拉正蓄

交换衣服

摆脱旧衣服的另一个好方法是举办换衣派对。邀请所有的朋友，请他们带来他们也打算扔掉的衣服。你要提供食物和饮料，办一场真正的派对，你甚至可以设立一个镜子或小型伸展台，让每个人展示他们的新造型。如果一切进行顺利，每一位朋友都会带走可以补充她风格、让她对自己更满意的新衣服……甚至是心形手链！

势待发。并非所有人都能够像塔拉一样，在财务上，甚至情绪上采取极端做法，但是你得承认，这种做法令人印象深刻，甚至会激励其他人。到最后，她甚至改变了发色和发型，还去减肥、健身，变成活力十足的人。

到目前为止，我们已经丢掉多少样东西了？依我估计，我大概已经丢了三样，因为所有的枕头只算一样，套装和饰品也是如此。但是你可能有更多东西，那都取决于你如何处理你的袜子、手套和饰品了。看吧？这并没有多难，是不是？好吧，有些有点难，但是很多都很好处理。

我认识一个答应我要丢掉 50 样东西的人，他翻遍衣橱寻找要丢掉的东西时，发现一封被乱塞到旧鞋盒的陈年信，信封正面写着他的名字"麦可"，但没有写地址，所以一定是某人亲自投递的。他已经忘了跟这封信有关的所有事情，事实上，他从未开启这封信，甚至不记得是谁拿给他或在什么情况下拿到的。他正准备把它丢到垃圾桶时，突然念头一动，决定拆开来看。

信封里放着一张画有横格线的黄色信纸，信纸两面都写有字，他查看署名，上头写着"茹丝汀"。茹丝汀？他心想，到底是谁……不就是我商学院班上最聪明的女生吗？对！她曾经教过我统计学，如果不是她，我绝对没办法……他打开信，马上就开始敲自己的脑袋瓜，为什么 15 年前会把信就这样摆着，没有打开来看。

"亲爱的麦可，"茹丝汀写道，"我们即将毕业，可能永远再也见不到对方，我终于鼓足勇气告诉你，我们一起读书的时候，我有上百万次想要说出口，我很喜欢你……"麦可感到一阵惊愕。他将茹丝汀视为家庭教师和朋友，从未想过她可能会成为女朋友。（麦可在大学和研究所只和一个女孩约会，最后娶了她，不幸的是，两人以离异收场。）

茹丝汀继续解释，她知道他已经有女朋友了，他们绝不可能在一起，但是她要他知道她的感受以及在她心中，他是她所遇过最棒、最有才气的人，和他一起读书是她最快乐的时光。她祝他万事如意，她不会忘记他的。

你该知道接下来发生什么事。托 Google 的神奇功能之赐，麦可找到茹丝汀，她在纽约一家投资银行工作，而且根据 Google 的资料，她可能还是单身，至少目前是单身。他打电话告诉她，他发现那封信，并为 15 年前没有拆开来看感到抱歉。

他们决定相约在纽约共进晚餐。听起来像电影《金玉盟》（An Affair to Remember）里的情节，对吧？这简直可以说是命运的安排，现在他们已经交往快一年了，谁知道结局如何？我敢说一定会皆大欢喜。

那就请你在你的衣橱里到处翻翻挖挖，好吗？从乱成一团的东西中，你或许可以找到寻觅已久的物件或某人的下落。

当你无法独立作业时

如果你比较像我（而比较不像我妈），就是无法把衣橱弄得整整齐齐，你知道可以请人帮忙吗？如果你请不起像"加州衣橱"（California Closets）之类的专业管家，"容器之家"（Container Store）也提供服务，帮你看看衣橱，替你规划，协助你挑选可以用来分类或收纳东西的各种产品。

按：中国亦有大型连锁家具公司提供规划收纳空间的服务，衣橱管家的专门公司则较少见。

在卧室决定哪些东西是重要的

❶假装自己生平第一次走进卧室，看看这房间，你会有什么感觉？它是在你忙完一天后，可以让你恢复元气的房间吗？哪样家具、装饰品、小摆设或是什么破铜烂铁，会让你有破坏宁静的感觉？收集起来，统统丢掉。

❷走近衣橱，打开所有抽屉，检查里面的衣服、鞋子和配件。你觉得穿戴起来感觉会很棒，还是觉得其中有些穿戴起来很沉重、有点让人沮丧，而且令人想到过去？让你觉得沉重（不论是身体，还是情绪上）的东西都应该扔掉。或许不是所有人都有能力马上换掉所有的衣服，但是我们可以逐步丢掉使我们颓丧的东西。

❸问自己下列问题：我现在是什么样的人，将来要成为什么样的人？我的衣服、这间重要的房间，能代表我定位自己的方式吗？要改变什么才能够实现？你不必马上改变一切，但是你必须立即行动。

❹将衣服叠整齐；旧饰品和配件放进盒子里；把不再适用的饰品收好；用便利贴和防水笔标示每一个储物箱。拿一个袋子专门装鞋子，根据它们的去处（进垃圾桶、捐给慈善机构或是回收）加以标示。

〈我的丢弃物清单〉

　　·5个装饰性枕头

　　·3套旧套装

　　·6双鞋

　　总数：3样东西

〈你的丢弃物清单〉

总数：

整顿浴室时想着健康

想要身体健康,当下就必须决定:要做哪些事才能够实现?

现在我们走进浴室,里面有很多该丢的东西。

看看你的药柜①。说来很难为情,我的药柜里面有几个很旧的箱子和好几盒成药,其中有些早就过期,还有放了超过五年的处方药。我已经确认过,这些药过了特定期限,已经失去药效。为了旧疾或潜在的新病保留旧药,对身体或心理似乎都没有益处。

我是"念力"(Mind Over Matter)哲学的忠实拥护者。我坚信,我们认为自己是什么样的人,就会变成那种人。后面我会详细谈论这点。我只想说,身边围绕着各种过期药物没有任何好处,甚至可能让

① 美国人的药柜大多放在浴室。但在中国不会这样,因为中国的浴室温度高,湿度大,不利于药物的保存。——编者注

旧疾有机会在你体内重起炉灶。那我们该作何选择？是认定我们可能会生病，需要吃过期的旧药，还是认定我们会保持健康，不需要再吃这些药？

美国高尔夫球公开赛（National Open）在匹兹堡外的奥克蒙特乡村俱乐部举行，这座球场拥有令人闻风丧胆的"教堂座椅"（Church Pews）沙坑，这些沙坑既深又变化莫测，粉碎了许多高尔夫球选手的冠军梦。老虎·伍兹在赛前接受访问时，记者问他为什么不练习从沙坑脱困，伍兹的回答很简单："因为我不打算让球进到那些沙坑。"

我们低估了意念的威力。**我们若确实想要身体健康，当下就必须决定：要做哪些事才能够实现。**比如说，这表示我们一定要多运动、少吃东西吗？（如果你想要的话，你可能会让节食或健身这类事情变得更复杂。关于这类主题的书籍不计其数，而且以它们宣称的销售数字来看，你很可能至少已经读了其中几本，但是，关键其实是运动量和食量，这点你我都知道。）这也表示要吃较少的碳水化合物、反式脂肪和红肉，吃更多的蔬菜水果吗？这可能表示你打算（而且不计一切）戒烟，而不只是"试试看"？我扯太远了吗？我母亲总是说，我不该离题太远，但我不在乎。有时候东拉西扯是好事，就像现在。看！结论全都跟你要扔掉的东西有关，是吧？

虽然我们还站在浴室，但眼前这些可是必须着手处理的大问题（之前你还以为只是要扔一堆东西而已）。那么要扔掉的会是什么？这些旧处方药和其他旧药要扔掉还是留下？好消息是：你已经开始作决定了。

我决定扔掉。我以前有很严重的偏头痛，进出全美各家医院急诊室的次数多得数不清，但是我大约有十年没有犯过痛到死去活来的偏头痛了。尽管如此，我的常备药箱里还是放着一大包的药，我以前都是用这些药来帮助入睡或做一些其他事情，直到一两天后头痛症状消失。现在我要把它们扔掉，我不想再犯这个老毛病，也不想被老毛病带来的恐惧所牵制。我已经觉得好多了。

但是有一点很重要：请在标示为"浴室丢弃物"那一行下面，另外标示一行"浴室精神丢弃物"。你想要抛开任何关于自己健康幸福的负面假设吗？写下你想抛开的负面假设，用健康的意念取代生病的意念。

以下是我最大的意念：差不多两年前，我做了次"意外的"心脏双侧绕道手术（double bypass surgery）。说是意外，是因为我一向很健康，从不抽烟，遵循健康的饮食习惯，每天运动，而且心电图检查结果正常，胸部 X 光没问题，血压也不高。尽管各科医师都坚称我是他们见过最健康的人之一，但直觉告诉我，我的身体有问题。说实话，我如果没有跟着直觉走，我今天可能就不会在这里了。我的手术非常成功。

就像所有心脏病患者一样，我拿到一个小型塑胶吹气机（blower），并且按规定每小时使用一次，以协助净化肺部。我很会操作这小玩意儿，最后医师判定我的肺部极为清澈。那个吹气机现在就在我的浴室

不要让过期药物渗进食物链

扔掉过期药品的老方法，是把药丸扔进马桶。现在有证据显示，这些药物可能会流入供水系统；而如果直接把它们丢进垃圾桶，它们则可能会渗入土壤。那么该怎么处理？问问你家附近的药店，他们可能收集过期药品，你可以交由专家妥善处理！

橱子里，我准备把它扔掉，原因是：我不打算再动一次心脏手术了，所以我以后不会再用到它。丢掉这玩意儿对我而言是一件大事，事实上，这可能是我丢掉的东西中，下过最重大的决心之一。我们等着瞧。

你的情况怎样？进展如何？一定至少已经找出五六样不重复的物品了吧？把这些物品写下来，汇总一下。

好，现在稍微放松，我们还在浴室，来看看你的化妆品，这部分会很有趣。

我在雅芳任职，和外勤部门的成员一起拜访客户时，遇到一位忠实顾客，她很生气自己最喜欢的眼影停产了。"那是带点亮粉的海洋绿，"她说，"三十年前我初次遇见我丈夫时，擦的就是这种眼影，而且之后一直使用这个产品。我甚至不能确定如果没有这种眼影，他会不会一样喜欢我。"（人会有这些想法，真是令人吃惊，对不对？但是建议别人改用其他颜色的化妆品时，我已经听过无数次这种回绝的理由。）

我很难说服她试用新的东西。"如果你不喜欢的话，可以擦掉，"我说，"那只是化妆品。"她勉强接受一种可爱的灰绿色。说真的，那种颜色让她看起来至少年轻十岁。我和她保持联络，一星期后，她告诉我，她丈夫很喜欢她的新眼影。事实上，她对他的反应非常兴奋，所以她也一并换了口红和腮红。我最后一次和她谈话时，她正准备尝试完全不同的发色。

你的情况如何？你橱柜里有一些看来很过时的化妆品吗？我有。我一直都有这类老旧的唇笔，可能是因为很久以前，有位彩妆师训斥我，不该没有先好好描绘唇形就涂上口红，依照我一贯的作风，当然是从善如流，马上跑去买了一堆唇笔，什么颜色都有，包括桃红色到血红色等各种唇笔，大部分看来实在很不适合我（坦白说，我的小女儿阿比盖尔就跟我说，里面有一种唇笔让她看起来"很吓人"，可能是那枝血红色的唇笔）。

无论如何，我还是一直留着，我想这是为了预防它们哪一天突然变得很适合我。现在我要扔掉它们。你有一大堆化妆品公司的试用品吗？你用过吗？如果到目前为止都没用过，相信以后也不会用，扔了吧！

在你离开化妆品架和抽屉前，我要问你一个问题：你究竟希望自己看起来像什么？现在正是改造自己、摆脱一些旧观念的时候。说来好笑，我从大学起就认定自己适合黑色调，我原来的头发是深棕色中带点红色，但是大一那年上生物课时，坐我前面的女孩有着一头乌溜溜的秀发，于是我决定模仿她。她用的是深棕色（非常深）的可丽柔(Clairol)，于是我使用这种染发剂或是类似的产品多年，确切地说，是25年。

几年前纽约一位发型师大卫·伊凡格利斯塔（David Evangelista）问我，为何坚持要把发色弄得这么深。"你想要看起来像波多黎各女演员吗？"他问道。他的重点是，我给自己弄了一个其实并不适合我的造型。"我们来做一些挑染，"他说，"我们来碰碰运气，有舍才有得，盖尔，你别怕，我们随时可以改回去。"

我的头发就这样做了一些挑染，不久却变成了金发，后来又变成栗色头发外加红色挑染，然后再变成……嗯，你了解这回事的。就在撰写本文的同时，我预约两周内染发，不知道到时我会想做什么造型。谁知道呢？也许我会恢复深棕发色。其实我妈妈的发色是淡金色的，我一直很喜欢那种颜色，也许该是我跨出那一步的时候了。

大卫对我的冒险精神非常开心。"这一切都跟改变有关，"他说，"我对每一位客人都会灌输这个观念：改变是好事，人一定要改变才会进步。变到最后，你会变成你一生一直想要成为的那种人。所以请看着镜子，**看着镜中反过来看着你的人**，这个人因为你想要做的改变，正盯着你瞧。"

顺带一提，我也不想提醒你，但是现在躺在垃圾桶里的唇笔全部只算一样东西。

以下是重点：摆脱对自己或个人外观的老旧观念。就像扔掉旧化妆品和染发剂一样，扔掉对自己的旧看法，在称为"心灵化妆品丢弃物"的栏位中，写下那个旧看法。如果兴致来的话，随时可以重新打扮成以前的某种样子。现在，我们要继续前进，你想要自己看起来是什么样子？你想要成为怎样的人？你得作出决定。

改造自己是很有趣的事情。我第一次这么做，是十岁到佛蒙特州参加夏令营。对当时的我来说，来自俄亥俄州似乎有些平淡无奇，我知道营队里有些女生来自国外的某个城市，例如圣保罗、巴黎、悉尼，甚至香港，所以我决定要创造出一种新口音，这种口音有点像俄文，

用完的化妆盒

该是扔掉所有旧化妆品的时候了，但是要怎么处理所有的旧化妆品盒？化妆品公司现在也开始顺应回收潮流了。如果你把旧化妆盒拿到他们的专柜，他们会提供免费试用品作为答谢。如此一来，你甚至不必花更多钱，就可以挥别旧我，迎接崭新的自己！我觉得这听起来是个好主意！你可以造访他们的网站，取得详细信息。

但是又带点法文味道，让口音柔和些。当然，这两种语言我都不会，也不太清楚它们实际上听起来像什么，但那不是重点，我带着我的"口音"抵达营队，试着激起一些女生的好奇心，她们纷纷问我来自何方（我回答说，那是高度机密），后来我忘记装腔作势，用我平常的口音要了第二份甜点。听起来有点愚蠢，但有趣的是，我教了自己宝贵的一课：只要你想要，你随时都可以打扮自己。而且只要你有足够的信念和干劲，全世界都会接受。至少，只要你肯做，接下来一切就会水到渠成。

那浴室呢？

我们甚至还没有说到你浴室里有哪些东西！我敢说，你至少有五种洗发液和润发乳，但每次洗头只会使用其中一两种。把你不再使用的瓶瓶罐罐扔掉，即使还剩下一半。你不再需要它们。另外，不要乱堆东西，何不买个合适的浴室挂架？这种挂架可以收纳所有卫浴用品，还附有可以吊挂浴巾和浴花的挂钩。

在浴室决定如何照顾自己

❶先找出老旧和过期的东西,例如过期的药品、几乎干掉的发胶罐、牙膏、用完的唇膏、你绝不会使用的试用化妆品,然后扔掉。记得把瓶瓶罐罐放在适当的容器中,而且不要把处方药丢进马桶里。

❷现在进一步仔细看看剩下的东西。对于你现在的感觉以及想要的感觉,那些药物是否有必要保留?那些化妆品反映了你现在想要拥有的外貌吗?如果答案是否定的,你知道该怎么做。

❸记住,你正在浴室为自己作出一些重要决定,你要决定该如何照顾自己,如何守护自己的幸福,继续前进。保留有助于促成这项目标的物品,丢掉其他不相关的东西。

❹浴室里有很多同类物品,十几瓶旧指甲油只能算一样,所以我怀疑你是否能够在总数上加上很多笔。尽管如此,把这些东西扔掉还是会让你觉得很棒。

〈我的丢弃物清单〉

·31 盒"偏头痛老毛病"的处方药
和其他过期药物

·8 枝旧唇笔、9 枝旧口红以及过
期或不会使用的化妆和保养试用品

·1 个心脏手术后用来净化肺部的吹
气机

总数:3 样东西
累积总数:6 样东西

〈你的丢弃物清单〉

总数:
累积总数:

厨房最需要营造气氛

每个人家里都有"那个抽屉",试着找出疯狂又有趣的东西。

我现在站在厨房。厨房看起来似乎还好,只有一件事不确定:我不知道是否真的需要留下所有过期的美食杂志。有几期已经超过五年,它们占了柜台空间的大半。我想,我在担心要是没有杂志,我可能找不到想要的食谱。我家每一个人都会烹饪,我们总是在寻找新的做菜点子。现在我可以从网站上的美食杂志找到各种食谱,所以我决定就这么做:只留下最近三个月的杂志,其他可以扔了。老天,那至少有60到70本,只能算一样东西,真是可惜。

橱柜看起来不太糟,除了我先生吉姆收集的一些装泡菜、橄榄、芥末等佐料的空罐,至少有十来个。他认为他需要这些罐子来储存他自己做的调味料,显然他没有发现可以堆叠的塑胶容器或密封袋。

另一方面，我历经千辛万苦而学到的教训是：**千万别扔掉别人的东西，这可能会让他火冒三丈**。我永远记得，我妈妈出于善意帮我们整理冰箱，扔掉吉姆所有的陈年佐料罐，当他发现冰箱被重新整理并且恢复原状时，几乎疯狂。之后好几个月，我妈妈连开冰箱都得回头看有没有人在盯着她。另外有一次，我把阿比盖尔收集的 CD 扔掉，因为我以为那是一袋垃圾，那次经历简直可以说是一场悲剧。所以请小心点，别人的东西，由别人自己决定去留。

那么食品柜怎么样？我们家厨房里有一个橱柜，专门放置各种罐头、香草和香料、所有的烘焙原料、各式各样的醋和油以及许多瓶装和罐装的橄榄油。我们也在里面存放一盒盒的意大利面、坚果、咸饼干和其他种类的干货。

现在我检查柜子，可以看到大概有五小罐辣椒粉散布在香料区。你可能会问："怎么会有那么多罐？"因为吉姆忘记他已经有这种辣椒粉，结果又买了一罐。我不会扔掉它们，但是我准备至少用一个密封

线上食谱

美食杂志很棒,但往往很快就堆积如山,幸好现在大部分食谱都有线上版,很快就查询得到。如果你有一些最爱的食谱,何不影印起来,存放到资料夹里,这样一来,留下的东西会比 70 本旧杂志少得多。以下是部分我最爱的线上食谱网站:

◆ www.gourmet.com　　　◆ www.cookinglight.com

◆ www.epicurious.com

按:中国也有许多食谱网站,只要以"食谱"为关键字输入搜索引擎,就能看到许多食谱网页。

袋把它们集中存放。我也准备闻一闻其中某些看起来有点陈旧的香料罐，"脱水干燥"是一回事，食之无味又是另一回事。烹煮和品尝对我们家而言太重要了，绝不能被这些色泽或味道不对的香料给扫了兴。

事实上，我会把橱柜里所有的东西先倒出来，检查每一个盒子和瓶瓶罐罐，清理后集中放到很棒的盒子或篮子中，然后再将它们归位到重新油漆和整理好的橱柜。我光是想到要做这些事，就觉得很棒。

但是"那个抽屉"怎么样？你知道我在说哪个抽屉，里面全是没什么用处的东西。打开它，如果你能够打开的话。我的"那个抽屉"里因为塞了太多东西，所以卡住了。但是我使劲一拉，还是打开了，我看到下列东西：

- 几瓶放了很久、干掉的胶水。
- 几十张食品杂货店的旧收据。
- 一大堆零钱，大多是一分钱。
- 许多回纹针、橡皮筋之类的东西。
- 可以追溯至 2000 年，供家里每个人使用的渔猎执照。
- 曾经被家人抢着用的高尔夫球座。
- 一大堆 AA 电池，大部分都已过期。
- 给薇拉用的小狗项圈（它现在已经重达 65 磅）。
- 被咬得一塌糊涂的三颗高尔夫球，猜猜是谁咬的？
- 一大串约有十年没开过任何锁的钥匙。事实上，我不知道这些钥匙可以用来开什么锁。

一切都进了垃圾袋，除了薇拉的项圈以外。那项圈会挂在它小时候照片的一角上，照片里的它看起来好像一团黄色小毛球，它怎么会这么快就长这么大？阿比盖尔说，我们应该再养另一只小狗，这样就可以再度拥有一个圆滚滚的小毛球……

其实，我遇到的每一个人在自家厨房里都有"那个抽屉"。人们总是写信告诉我，他们在那个抽屉里找到哪些疯狂又有趣的东西，有一个人在那里找到多年前的旧纸巾，上面有他为一个电影剧本所写的构想。他觉得这个构想在当年不怎样，如今却值得一试，所以他进一步发展这个构想，并且打算向一家电影公司推销。世事难料！

一位名叫丽兹的女士写信告诉我，她在清理食品柜时，发现了数十年前她母亲在三张卡片上所写的巧克力蛋糕食谱。她完全忘了这个食谱的存在，她坐在厨房地板上，回想她妈妈做过的所有蛋糕以及那些蛋糕曾经出现的庆祝场合。她妈妈已经过世，丽兹很希望她跟妈妈说过那些蛋糕有多棒。我建议她依照妈妈的食谱，为家人做一个巧克力蛋糕，并且用感谢妈妈的话来装饰蛋糕。她确实这么做了，那天晚上

洗碗槽底下是什么？

我确信我知道洗碗槽底下放的是什么，应该是清洁用品，也许是垃圾桶，而且可能有非常多超市的购物袋。我们全都留着这些袋子，因为我们想要改天重复使用，但是请面对现实：你可能绝不会用到这些袋子，而且你愈收集愈多。我觉得可以扔了，改用好的帆布袋，每次要到食品杂货店就随身携带，这样有助于环保，而且使用自备购物袋，许多商店会给你折扣，环保真划算！

吃晚餐时，她和她的先生、小孩举杯向丽兹妈妈的蛋糕敬酒。很棒，对不对？

那么，你在"那个抽屉"里找到了什么？有什么值得留下的东西吗？大部分都得扔掉，对吧？**从现在起，终于可以打开了，感觉超棒的，对不对？那就像从未使用过的心灵角落，可以用来填满美好的思想。慎选要放进里面的东西，让"那个抽屉"从彻底的笑话变成拿来炫耀的抽屉，别再让它打不开了。**

顺便提一下，我从来没想过"丢掉50样东西"可以成为单人脱口秀的剧目，直到几个月前，我才突然想到，因为我遇到玛丽克里斯·梅利（Marychris Melli），她提到她的丢弃物清单，而且跟我细数每样东西背后的故事，最后我必须阻止她再说下去，因为我笑得太厉害，胃都痛了起来。

她的厨房抽屉里有很多该丢的东西，特别是与她的狗吉诃德先生有关的东西。她扔掉它的抗忧郁药，"我得面对现实，它疯了。"她扔掉狗刷子，并且说："连刷子都有那么多花招，我必须接受一件事：我养了一只疯狂的白色杂种狗，每天要用一种特殊的工具刷它的毛20分钟，这种工具只有电视购物频道才买得到，我现在用的并不是那种特殊刷子。"她也一并扔掉它的趾甲刀。"那只是一厢情愿的想法，"她说，"它有很多问题，趾甲是最不重要的一个。"

接着她告诉我的事情，变成我最爱的厨房抽屉故事。这个故事的核心，是玛丽克里斯在那个抽屉里发现的旧资料夹（一个一定要扔掉的资料夹）。事情是这样的：玛丽克里斯在35岁时，经历了人生中相当艰困的时期。她没有上班，正在读研究生，所以欠了一屁股债，必须卖车，她一心一意只想渡过难关，对其他事情都不太在意。

某个下着大雨的夜晚，她下课后坐进她的老爷车（这辆车花了她300美元，你可以想象它的状态如何）准备回家。突然间，她听到警报器的声音，三辆警车包围她，喝令她把车停到路边，他们要她下车，声称他们有两张逮捕令可以逮捕她，原因是她没有缴纳交通罚单。玛丽克里斯完全忘了罚单的事情，当警察要她贴靠在车子上以便搜索时，她试图向警察解释。

　　"你得想象一下这个画面，"她说，"我把老爷车停在新泽西州我住的那个小镇的交通要道上，警察把我团团围住，我被雨淋得湿透，哭着靠在我的车子上，我认识的人坐着车子飞驰而过，简直就像电影情节。"后来警察发现，她的驾照不只过期而已，在过期之前已经被吊销了。她是非法驾驶。你再听听接下来的事情："我被铐上手铐了。手铐！你相信吗？我被推进警车后座，而且被逮捕了！"后来情况更糟，他们得将她带到犯案地点所属的城镇，所以他们将她押解到那座城镇，从一辆警车换到另一辆警车，这表示她必须由接手的警察铐上新的手

处理电池

　　当你大胆打开"那个抽屉"，发现有很多旧电池，对吧？你可以把它们扔掉，但要小心处理。把一次性电池放进塑胶袋再扔掉，至于旧的充电电池（包括手机和笔记本电脑的电池），你可以把它们拿到无线电屋（Radio Shack），这家电子产品连锁店与可充电电池回收公司（RBRC）合作回收旧电池，用来制造新电池或其他产品。

　　按：在中国，一般的电池拿去超市回收即可，非常方便；至于笔记本电池或手机电池则可询问出货公司的回收办法。

铐。她可以听到警车上的无线电说着："移送囚犯……""囚犯?"她心想,"我是囚犯?"另一批警察将她带到另一个镇上的警察局作笔录。

"他们把我当犯人拍了档案照片,"她说,"我就在那里,手拿着案件编号牌,一直哭。"这个时候,已经是晚上11点半了,玛丽克里斯被告知如果不当场付清罚款(136.5美元),她就得吃牢饭。

她获准打一通电话,于是她打给她妈妈。但是她妈妈现金不够,而且从不用银行卡提款(这又是另外一个故事),所以只得敲邻居大门,开口借钱,而且她妈妈得缴分毫不差的金额,因为警察局显然是不找零的。当她妈妈凌晨跑到警察局时,玛丽克里斯还得提防她妈妈对警方大发雷霆,以免最后两人当晚都在监牢里度过。

所以厨房抽屉资料夹里的东西是什么?收据。付保释金的收据、付法院费用的收据以及监理所的来函,函文中提到交通罚单的罚金已经全数缴清。"那些全都要扔掉,"她说,"我不再是那个人了,当时我没有钱、负债累累、信用不良,只有一辆老爷车。现在我有一辆新车,信用良好,而且也念完研究生了。那是我一生中最低潮的时候,我要把那个记忆扔掉。我现在已经做到了,但那个故事很精彩,对吧?"

顺带一提,吉诃德先生现在仍然身强体壮,即使它那些用品全被丢了。

你也可以考虑把你的厨房丢弃物清单拿给家人或是朋友看,发挥一下幽默感,让他们捧腹大笑。告诉他们你在里面发现多少愚蠢的东西,也许会激励别人跟着清理他们的厨房。呵呵,你以为单人脱口秀的灵感是从何得来的?其实不过是任何人都能会心一笑的愚蠢日常经验——你在厨房或任何房间为了这个原因而丢弃的东西,都可以成为很好的素材。但它们最好用来当脱口秀的素材,而不是你生活中的凌乱杂物。加油!

如何营造厨房的气氛

❶问问自己,这个房间对你代表什么意义。在我们家,厨房极为重要,因为我们全家都喜欢美食和烹饪,所以厨房除了要便于取得所需的材料,气氛也要很吸引人。我们有烹饪时用来播放音乐的音响,有许多让掌厨者以外的人坐着聊天的地方,还有许多用来营造气氛的蜡烛。对你而言,厨房代表的意义可能完全不同,但不论那是什么,都不要让杂乱破坏了厨房的用途。

❷扔掉所有老旧的东西,包括损坏的锅子和陈旧的佐料罐。我们已经决定,绝不留下会让佳肴逊色的锅碗瓢盆,所以型录(型号等资料的目录一览表)公司或百货公司一有特卖,我们就把握机会将我们的用品升级。

❸请家人或好友建议厨房里应该增减什么用品,我女儿凯特说,她不喜欢看到烤肉用具摆着不收起来,所以我们把它收进橱柜里。阿比盖尔建议把家里所有的水壶堆放到一个好看的大瓮里,而不是放在买来时所附的塑胶箱里。改变以后,看起来很棒。

❹厨房之中,似乎很容易堆满杂物。不要让这种情况发生。厨房是有重要用途的地方,许多美妙的事情都可以在厨房里发生,不要让任何事物从中阻碍,包括"那个抽屉"。

〈我的丢弃物清单〉

· 65 本美食杂志
· 11 罐陈年的香料
· 7 罐吉姆几近空空如也的腌菜、芥末和洋葱罐（我希望他不会因此生我的气？？）
· "那个抽屉"内的所有东西，只保留薇拉的小狗项圈
· 3 个摔坏的平底锅

总数：5 样东西
累积总数：11 样东西

〈你的丢弃物清单〉

总数：

累积总数：

最好的回忆留在客厅

如何让人一进门就觉得很快乐？

我们还没有处理客厅或餐厅，对吧？开始动手吧！

我的客厅比较整洁。（你可能会问："和什么比较？你的厨房吗？"）不是这样，其实我们花很多时间待在厨房和餐厅，所以客厅情况比较好。你不觉得客厅是家里最不乱的地方吗？我的意思是，虽然还是有点乱，但相对好一些。这可能要视你的小孩年纪而定。凯特和阿比盖尔还小的时候，客厅里有一个纸板玩具小屋，占了客厅四分之一的面积；还有一个名叫"洛基"的木马，也占了四分之一的面积。此外还有很多箱积木和玩具，那时候要我把客厅打扫干净，说什么我都不依，但是现在我没有借口了。

我们家里有一整面墙全是书架，中间以可以看到外面街景的三个窗户隔开，书架上放着过去 35 年来所读的书。有些书可以追溯到大学和研究生，其中包括《从阿伽门农到亚里士多德》（*From Agamemnon to Aristotle*），是我在斯维特布莱尔学院（Sweet Briar College）就读大一时所读的希腊戏剧集，这本大部头的书非常厚。我会保存那本书和其他文选，我有时候会想要查阅里面的资料。

噢，说到戏剧，这里有本塞缪尔·贝克特（Samuel Beckett）的《等待戈多》（*Waiting for Godot*），我不能扔掉这本书，我大学时在清一色的女性演员阵容中，曾反串过两次男主角，弗拉基米尔（Vladimir）就是其中之一。我在大学时经常反串扮演男性的角色，我低沉的声音加上缺乏典型纯真少女特质（长发、碧眼、白皙的肌肤），让我注定得女扮男装。

事实上，我玩得很开心，我最喜欢的角色是大一时在《失魂记》（*Damn Yankees*）里扮演的魔鬼。我爱死这个角色了。我的室友扮演萝拉（Lola），我和她搭配，演起来相当得心应手。事实上，我记得我的招牌歌《那些旧日美好时光》（*Those Were the Good Old Days*）大部分的歌词，我现在还唱得出来："如果我看过哪个难以驾驭的人，那个人就是拿破仑。我还看到尼禄操弄那场可爱的大火，优雅的玛丽皇后上了那古怪的断头台，哈，哈，哈，哈哈，那些旧日美好时光……"还好，我唱的时候，身边除了薇拉没有别"人"。

那你呢？你把求学时看的书和资料放在这个地方吗？浏览这些书，会勾起许多回忆，对不对？我还记得斯维特布莱尔学院教莎士比亚的英文系主任尼尔森博士（Dr. Nelson），因为他，我深深爱上莎士比亚，也许我爱上的是尼尔森博士。我在《仲夏夜之梦》（*A Midsummer Night's Dream*）里扮演主角巴顿（Bottom），你听到以后应该不会惊讶吧？

到目前为止，我还没看到要扔掉的东西，你看到了吗？其实我很想要丢掉一本老旧过时的完整版字典，那是一位已故好友送我和吉姆的结婚礼物，那本字典至少重达 25 磅（约 8 千克重），被咬得体无完肤，凶手不是薇拉，而是我们家的德国牧羊犬阿泰（Thai）。我们度完蜜月回家当天买了阿泰，这条狗很棒，凶悍但是很棒。它其实算是我第一个"小孩"，我很不忍心留它独自在家，所以有一天我带着它上班，但阿泰不让任何人进我办公室，我真是无言以对。我是说，那时候还没有什么"带子女上班日"（Take Your Child to Work Day），我老板告诉我，下不为例：看在老天爷分上，这里是广告公司，不是动物收容所。

我很爱那只狗，不幸的是，几年后，我怀了凯特，当时吉姆人在纽约地方电视台制作 11 点新闻，重达 130 磅的阿泰追着我，把我扑倒在地板上。我不知道它为什么会这样，可能是有事情突然影响到它。当时我正在写一份管理简报，伸手拿起 25 磅重的字典要查一个字，我猜它脑袋里突然想到什么。

有几分钟，我静静躺着，阿泰的嘴巴距离我喉咙只有几英寸（1英寸 ≈ 2.54 厘米）远，我跟它说，它很乖，吉姆（它最喜欢的人）就快要回来了，那番话吸引了它的注意，它转向门口，我马上跳起来跑出房间，把阿泰反锁在里面，等吉姆回来处理。隔天，我们开车到长岛，把阿泰交给一个拥有绝佳狗舍的人收养，我还记得当我们驾车离开时，阿泰脸上那种迷惑和感到背叛的神情。回纽约的路上，我们两个人都哭了。

这些书有很多都被阿泰咬过，我想我会全把它们留下。

我刚加了好几件东西到我的"我保留的东西及原因"栏位上，是不是？我最好快点处理要扔掉的东西。

有一个可爱的旧贮物箱堆在后面，我看到里面至少有 25 或 30 张装在封套里的唱片。你知道，就是那种老式的 331/3 转黑胶唱片。里面有弗兰克·辛纳屈（Frank Sinatra）、西蒙和葛芬柯（Simon and Garfunkel）、艾迪特·皮雅芙（Edith Piaf）、玛琳·黛德丽（Marlene Dietrich）、梅尔·布鲁克斯（Mel Brooks）和卡尔·雷纳（Carl Reiner）的喜剧剧目。赫伯·亚伯特（Herb Alpert）和堤璜安那铜管乐团（the Tijuana Brass）的精彩唱片。里头有首贺伯迷死人的歌《你看到这人吗?》（*You See This Guy?*）。那首歌如此美妙，原因在于贺伯其实不会唱歌，他吹奏喇叭，而且吹得很好；他并未受过歌手的专业训练，但是他唱这首歌的时候，绝对扣人心弦，因为他的歌声非常真挚。不是出色，但是在某种程度上很优美。我现在就想放来听。你知道，这些老黑胶唱片很难被取代……慢着，绝非如此，我可以买到 CD 或是从网络上找到它们。

科技不断推陈出新，而且几乎是以音速持续改进，我们可以依据个人需要的形式和负担得起的价位或者免费取得音乐。所以我想，纵使百般不情愿，我还是得扔掉这些旧唱片，或者我可以送人，甚至卖给收藏家。事实上，我发现要放手很难，总是会忍不住拖拖拉拉，继续把东西再保留一年左右。但是听着，我们不能继续重开抽屉、橱柜和贮物箱，看到同一批老旧无用的东西。这种情况令人窒息、耗费精力，该结束了。记住，如果有某样东西你必须花很久的时间权衡利弊，那

当电视没啥看头的时候

你准备将旧电视机升级成新的等离子平面电视吗？不要只是把旧电视机放在路边，考虑索尼（Sony）在全国各地设立集中地点的一项新计划，可以协助你回收旧电视机。

就扔了！

在这个贮物箱中，我还看到许多没有按顺序排列的各类平装书，其中有一些不怎么样的小说，还有一些我敢说我既没读过、也没有照做（如果我确实读过）的指南书籍（how-to books）——我想，你不会跟我一样吧？——我至少可以捐出其中 15 或 20 本给医院或社区中心，他们一直在为社区民众募集更多书籍。每到周末，我去社区中心服务时，中心里的人经常在那里摆几张桌子，上面放着一些旧书供人取阅。有一位新捐书人才刚刚捐过书，现在继续在捐。

还有什么别的东西？沙发两侧茶几的小抽屉里塞满了一大堆零星杂物，多少让我想到厨房的"那个抽屉"。里面有许多的照片，大部分拍得都不是很好。有一张拍到某个人的后脑勺和另一个人的一只脚。

捐赠二手书

很难把书扔掉。也许那是某人送给你的礼物，也许那是你买来准备在度假时阅读却一直没有机会看的小说。你总是想，总有一天你会看的，但这里谈的不是总有一天，而是现在。如果那是你喜欢的书，那就留着；如果它让你想到不愉快的过去，或是你很确定你绝不会再看一遍，那就把它扔了，或是捐给当地的图书馆。图书馆可能会举行图书特卖会来筹募基金。

摆脱书本的另一个好方法，是通过一个名为"送书到军中"（或监狱）的计划，你可以将书籍、DVD、游戏机和其他救援物资集中放在一个箱子里，让相关单位用船运送给海外驻军。他们有时候会明确征求指定书籍，但大部分只是寻求任何可读的书籍。

那是一位名叫吉姆的摄影大师不知道多少年前拍的杰作，要拍到这种镜头很容易，一定有好几叠。

我发现，照片一般会造成特别的问题，很难将它们直接扔掉，尤其是孩子们的照片（哎哟，这里有一张阿比盖尔的照片，给我什么我都不换。照片里是她三岁时，在长岛一处海滩俱乐部的一场家庭舞会上，刚把一个小男孩打到地上，我还记得他的名字是马休。她似乎爬到他身上。我猜那是她邀请他跳舞的特殊方式）。

凯特和阿比盖尔还小的时候，我用她们的照片制作了许多录像带（现在则制作成 DVD），有时候用影片穿插，而且总是配上很棒的音乐。我在她们生日时播放这些带子，她们总是很不好意思（我想那是可以理解的，因为我放进阿比盖尔和马休的合照等诸如此类的照片）。但是有一天，当她们把带子播给自己的孩子看时，她们会从中得到乐趣的。我为我父母做了相同的事情，以庆祝生日或特别的周年纪念日，我为我父亲的 80 岁大寿制作影片，里面有他和妈妈早期的合照，并配上路易斯·阿姆斯特朗（Louis Armstrong）所唱的《美好世界》（*What a Wonderful World*）。我为那些影片感到自豪，它们确实记录着一些非常特殊的时刻。

但是它们没有解决所有五花八门的照片要如何处理的问题。我有一位做事很有效率的朋友，她每年都会替小孩制作新相簿，每一幅照片都有精心制作的标题，底下还有图说。我一直都很确定，如果我不是个醉心工作的妈妈，我一定也会这么做，但事实上，我不会那么做，我是指，我做事没那么有效率。等等，我很有效率，只是不像我妈妈那么有效率。看到了吧？要经过练习，才能持之以恒，摆脱负面的旧事物。至少我抓到自己这个毛病。你也得检查一下自己，如果经历了这个过程，你就会怪自己没有更早或更妥善做到这点。我们现在就在这里处理这件事，结论是，**现在做正是时候**。

因此，所有杂七杂八的照片全都要扔掉，反正我已经有录像带，而且那些真正有纪念价值的照片都已经裱框，剩下的扔掉也无所谓。你也可以扔掉你那些没用的照片。

丢掉照片太伤神？

你可能会发现，你家的抽屉塞了一大堆旧照片，就像我一样。扔掉照得不清楚的照片，你知道你有很多这种照片。至于其他照片，如果占太多空间，何不扫描到电脑或光碟上？这样你就可以用电子邮件将它们寄给全球各地的亲友，一起重温往日回忆，即使彼此相隔遥远。

让你的客厅充满回忆

❶这是提供娱乐的主要场所,对吧?所以你要让人一进门就觉得很棒。把自己当成宾客刚刚抵达派对场地,踏进客厅,这让你有什么感觉?你希望有什么样的感觉?你要做何改变,才能拥有那种感觉?

❷考虑将所有东西挪动一下,包括家具。要用新的眼光来看每个房间,有许多很好的方法,这是我想到的其中一种。不要小题大做或是试图做到尽善尽美,假装你刚搬进来,随意把东西挪动一下,直到找出喜欢的布置方式为止。接着再以此为中心,开始改变其他房间。任何不能轻易搭配你的新布置、对你而言没有任何意义或是不中用的东西,全都扔掉。

❸集中玻璃物品、烛台、照片等东西;把任何你觉得迷人的物品变成吸引人、甚至令人惊讶的布置。当物品似乎开始占领客厅时,将它们移走,一次完成一项布置。把东西放进盒子里,以便进行车库拍卖。

❹询问自己,这个客厅带给你最美好的回忆是什么?是派对、家庭聚会,还是与你所爱的人相聚的重要时刻?你现在可以想象这样的时刻会再度出现吗?客厅里有任何东西构成妨碍吗?移开它,把它扔掉。

〈我的丢弃物清单〉

· 33 本平装书

· 27 张黑胶唱片

· 数十张照片

总数:3 样东西

累积总数:14 样东西

〈你的丢弃物清单〉

总数:

累积总数:

共进晚餐的所在

让这里不只有美味的晚餐，还有热烈的交谈。

　　餐厅可能是我最喜欢的地方。我说过，我家每个人都喜欢烹饪，喜欢美食，喜欢谈论烹饪和美食，喜欢钻研旧食谱、构思新食谱。昨晚我们一家四口一起煮晚餐，说真的，那真是惊人。

　　吉姆煮他最拿手的龙虾意大利面——用朝鲜蓟心制作的浓郁酱汁，加上用甜苦艾酒炖煮的蒜头，搭配墨汁意大利宽扁面。只有在特别的日子，他才会做这道菜（我们一家四口共进晚餐的机会并不少，但那晚确实很特别），原因有两个：材料很贵，而且这道菜要花好几个小时才能完成。但是成果实在太棒了，棒到你在现场就可以听到，我们每个人一边大口把面送进嘴里，一边发出赞叹声。

　　每个人都做了一些菜。凯特做了用海鲜酱调味的烤白花椰菜作为开胃小菜，阿比盖尔做了用芝麻及洋葱佐柠檬松露油醋酱的美味沙拉。但是用餐和享受美食的重要性，当然远不及彼此相知相爱的一家人共聚一堂聊天的喜悦。即便是现在，写到昨晚的事情还是让我的胃充满了饱足感，连心也觉得饱满。

"那么，你做了哪道菜呢，盖尔？"你可能会纳闷。答案是："气氛。"我现在最好承认，我很迷恋蜡烛，事实上，我的好朋友帕特丽夏·米勒（Patricia Miller）几年前在一次晚宴上就这么说过，因为我在每个可以摆东西的位置点了蜡烛，害她丈夫罗杰的外套着火（你晓得羊毛烧起来是什么味道吗）。反正，情况并不严重，罗杰对这件事也很有风度，但是你可以看出蜡烛（基本上都是点燃的）对我的重要性。

我经常会更换光线暗淡的蜡烛，更换但非扔掉。我不知道原因，但我有好几盒已经燃烧三分之二的蜡烛，它们摆在收纳晚餐餐盘的橱柜里，我想我一直留着，是要预防纽约大停电①再次重演。不过这些蜡烛现在都得扔掉了。为了营造宁静、迷人的用餐环境，作为我喜爱的那种亲密对话的背景，我不能让一大堆看来寒酸又烧了大半截的蜡烛四处横躺，即使它们不在我视线所及之处。

集中残蜡

不要把旧的蜡烛碎块扔掉，可以用它们来进行有趣的手工艺回收计划。做法很简单，只要把精油加入熔蜡，然后倒进摆好灯芯的容器里冷却即可。大约一小时后，你就会拥有一根很棒的新蜡烛供你展示！

①纽约大停电发生于2003年8月14日，纽约的地铁、火车、公车都因而停运，无法步行回家的数万名纽约上班族，当晚只好露宿车站或街头。

那个橱柜中也有许多旧的餐巾布，有些看来已经破破烂烂，里头还有一些破旧的餐垫，保留这些东西没有意义，我们已经多年没有用过了。橱柜里还有一些旧盘子，有一个特别丑陋的"玉米盘"，外观做得很像一个挨一个的玉米穗，而且玉米粒还刻到瓷器上。吉姆非常受不了这个盘子。

你也有这样的碗盘吗？几乎每个人都有。我想那是结婚礼物，算来已有三十多年的历史，它和其他六个盘子以及一个小型工艺品，很适合在标价拍卖会中拍卖，不是因为盘子真的有什么问题，而是因为我从来没使用过，即使是在我们办过的一些盛大宴会中都没用过，那一定代表某种意义。

说真的，当你发现有人好心送你，你因此保留超过十年但从未使用过的东西，那就把它丢掉、转送或卖掉。 那显然不属于你，处理掉也无妨，它可能属于别人。记得卡莉和心形手链吗？我想我无须再多言。

我会告诉你我不打算扔的东西：一叠用来打扮我们家三只黄金猎犬（包括薇拉）脖子的方围巾。事实上，我们家每一只狗从宠物美容师那里出来的时候，不但身上刷洗得干干净净，牙齿清洁美白（他们真的美白它的牙齿，同时让它口气清新），而且香气袭人，脖子上系着充满时尚感的方围巾。

拿回家的方围巾，有些印着南瓜图案，有些印着幸运草或冬青，

丢掉盘子

食物银行或赈济处总是在寻找捐赠品，如果你有和你家风格不搭配的多余碗盘和银器，询问当地的有关单位，看看他们是否接受这类捐赠品。

可爱的图案琳琅满目，它们全都仔细洗涤、熨烫，堆叠在抽屉里，和我们的高级亚麻布餐巾并排放着。没有并排得整整齐齐，对吧？可能没有，但是我们对自家小狗，感觉就是那么钟爱，就像我们对来我们家吃饭的多数宾客感觉差不多。所以如果你曾经到过我家吃晚饭，你应该不会介意，你叉子旁边偶尔会放着狗狗用的方围巾，对吧？

你的餐厅呢？它反映出你自己独特的情趣吗？它有助于你建立自己喜欢的那种环境，让这里出现的不只是美味的晚餐，还有热烈的交谈吗？你走进餐厅时，会觉得很快乐，还是觉得跟其他房间差不多？有相当多的资料指出，全家人一起吃饭，尤其是晚餐，餐厅扮演了极为重要的角色。

今天早上，古塔医生（Dr. Sanjay Gupta）在美国有线电视新闻网（CNN）节目里说，有一项研究显示，固定在一起吃饭的家庭，成员的压力较轻，身体也比较健康。比起没有在家吃饭的孩子，这些家庭的孩子蔬果摄取量较多，身体也比较精瘦结实。

凯特和阿比盖尔还很小的时候，我们并不知道那些统计数字。我们只知道一起吃晚餐时，可以缓解压力，分享一天中美好的事和不太愉快的事，谈论个人世界发生了什么事，也谈论外在世界发生了什么事。学校说凯特和阿比盖尔非常能够掌握时事，我想这绝非偶然。而且，我必须说，她们现在还是对时事了如指掌。

我一想起四五年前的一件事就觉得好笑。有一天，凯特的一位男性朋友到我们家吃晚饭，他很有礼貌地询问，他可否带走任何东西？凯特回答说："你可以带走一项意见。"

但是说真的，你该看看你饭厅里有哪些东西应该丢掉，它们会不会阻碍你，让你无法建立那种多年后会让你发出会心微笑的趣味和回忆？该丢掉的或许是旧盘子、餐巾或是用过的蜡烛，或许是让你沮丧的地毯，或是太过明亮的灯具。你看了就知道，而且你会把它扔掉。对了，你应该已经料到一件事：凯特和阿比盖尔带朋友回家，一定会看到家里到处都是蜡烛，不管是大的小的、有香味或无香味的。她们甚至在宾州发现一个很棒的畅销货中心，里面有各式各样的蜡烛，而且售价只有市价的三分之一。真是"虎母无犬女"。

 ## 重建美好的用餐环境

❶你希望在餐厅用餐的家人或宾客，带着哪种心情离开餐桌？对我而言，我会想到"愉快"、"迷人"和"鼓舞"等字眼。餐厅里有哪些东西会让人兴致大减吗？如果这样，就得扔掉。

❷你在餐厅里最美好的时光是什么时候？那一天，它的外观给人的感觉是什么？你可以怎样重建这种时刻？哪些东西该留，哪些东西该丢？

❸所有日常使用的碗盘放在厨房，把特别的瓷器放在餐厅。不要光用来展示，要实际使用这些特别的瓷器，谁会比你的家人更重要？

❹如果拿走让你沮丧或不开心的旧东西，你就会有空间放一些让你高兴的新东西。也许可以放一面镜子，用来照照每个在那里用餐的人美好的脸孔以及所有美好的蜡烛散发出来的光亮。或者放台音响，播放一些美妙的背景音乐。或者放个插满花花草草的大花瓶，花瓶后面再布置灯光，以获得戏剧性的效果……我扯太远了吗？

〈我的丢弃物清单〉

· 39 枝用过的旧蜡烛

· 15 条旧餐巾

· 16 个旧餐垫

· 1 个丑丑的玉米盘

· 6 个漂亮但不符合我风格的盘子

总数：5 样东西

累积总数：19 样东西

〈你的丢弃物清单〉

总数：

累积总数：

不想处理的东西，就放在……

记住：回忆在你心中，不在东西里头。

　　我要花一点时间谈谈阁楼。事实上，我只谈它让我难过的地方。我连经过通往阁楼的门都会觉得反胃，原因在于：多年来我都没有清理过那里的东西。我知道这听起来很可怕，但事实就是如此。看，这样又会重提我妈妈对我说的，我做事没有条理；还有，她扬言要把我所有的抽屉翻倒在房间地板上。我开始认为，要顺利地把东西整理好，显然困难重重，而且这显然是我向来都不擅长的事。

　　你家不一定有阁楼，但一定有个角落，也许是后阳台，是那种每当家里有任何人不知道要怎么处理某件东西，也不想决定要怎么处理，就会把这东西摆到那个地方。我家阁楼里除了有一般的床垫和床架、灯具、椅子、床头板、旧照片和纪念物箱子外，还有凯特和阿比盖尔大学时期使用的家具以及卷起来的旧地毯、旧式家电、布娃娃、黑板、玩具钢琴、非洲鼓、很多很多的壁纸（有些被咬破了，但不是薇拉咬的）、镜子、枝形吊灯（有些相当好）和我的结婚礼服。

另外还有一些装在箱子和袋子里的杂物，我已经好多年都没有动过它们，只能想象着打开后会发现什么东西。但是我会找阿比盖尔帮我（也许我们会拿一台 CD 播放机和一瓶酒上来，边工作边享用）。没错，将来，而且是不远的将来，我一定会办一场车库拍卖或是标价拍卖会。

哪些东西该留，哪些东西该丢弃、卖掉或送人，表面上看起来好像很容易决定。我是指，我显然该留下结婚礼服；另外，我很可能会留下所有保存完好的东西，或是凯特和阿比盖尔以后哪天可能感兴趣的东西，但这里的关键字是"**可能**"，你最后做的事情，就是保留一大堆不相关的东西，以免哪天丢掉会有罪恶感。所以要想想之后才来选出你要保留的东西。我很了解凯特和阿比盖尔的喜好，因此，如果我真的考虑要保留东西，我会作出很明智的决定。

绝对没有理由留下大学时代的家具，尤其是别人可以好好利用的时候。由于学费随着种种生活费一起水涨船高，很多人不会再替家里就读大学的孩子购买新家具。所以我不打算卖掉这些旧家具，而是送人。

用不同色彩标示丢弃物

在电影版《欲望城市》里，凯莉在婚礼前一天，经由众姐妹淘的帮忙，将整间公寓的东西打包，夏绿蒂想出利用不同颜色的便利贴进行分类的绝佳方法，所有东西都分成"保留""送人"和"垃圾"，在本章稍后你会看到，在清理阁楼时，你也可以使用这个方法。

但是我会把家电装箱，留待标价拍卖会时卖掉，镜子、灯、枝形吊灯和地毯也一样，唯一的例外是我祖父九十多年前买的地毯，它是真正的绝品：充满东方色彩，以深红和蓝色编织，设计优美动人，虽然和我家目前的色彩配置都不相配，但是具有极高的情感价值。凯特和阿比盖尔还很小的时候，都在那张地毯上玩耍，就像我哥哥和我一样。

至于没有被咬过的壁纸，现在仍然相当美丽，我会用它来贴一间小房间的墙壁或是贴在某个橱柜内部，特别是在已经清理好的橱柜里贴壁纸，会让人很兴奋。另外，我会把玩具钢琴和黑板送给教会。但是非洲鼓会留下，我是指，没人知道自己哪天会突然兴起打鼓的冲动。

当然，凯特的迷你小提琴会留下。凯特大约四岁的时候，我听说弹奏乐器，特别是小提琴，对于培养小孩的认知能力帮助很大，所以我们就买了迷你小提琴，帮她报名铃木小提琴班。

所谓的"铃木音乐教育法"（*The Suzuki Method*）是日本小提琴家铃木镇一（Shinichi Suzuki）在 20 世纪中期发明的。当时日本刚经过第二次世界大战的蹂躏，铃木镇一想要把美感带进日本小孩的生活中。"我想要造就良好的公民，"铃木说，"如果孩子从一出生就聆听优美的音乐，并且自行学习弹奏，就可以培养敏锐度、纪律和耐力，拥有一颗美丽的心。"他率先提倡，如果学习步调够慢，而且依个人体格调整乐器大小，学龄前儿童就可以开始学拉小提琴。

在菲尔·休（Phil Hough）老师一对一的教学下，凯特学得很好。休先生是一位非常亲切、说话温和，而且极富耐心的绅士，在幼儿教育界享有盛名。凯特自然而然就开始拉小提琴，甚至在该练习时多少会主动练习一下，她拉得最好的曲子是《轻轻划船》（Lightly Row），她可以在一分钟内一口气拉完。事实证明，吸引她的是速度而不是音乐，在忙完一天的事情后，听她以全速练习拉琴，需要吃两颗强效止痛药。

此后课程进展顺利，直到有一天我犯了一个错误。那天，她对休先生说了一些话，我纠正她，她回答说："不，麻子头，我的意思不是那样！"虽然我忍住笑（我们家很重视幽默感，即使是近似讽刺，凯特没有失去那种幽默感），但温和的休先生显然对我女儿称我为"麻子头"感到惊骇。

"我想下课时间到了，对不对？"休先生说。我立即表示同意。凯特为自己粗鲁的行为主动道歉，我们走回家的时候，她说，她接下来想要学钢琴，因为她拉《轻轻划船》曲子的速度已经达到极限，不可能更快了。我说："好。"从此以后，那把迷你的小提琴就尘封于琴盒中。不管怎样，凯特已经培养出"美丽的心"。

不知道休先生现在过得如何？我想我会打个电话问候他。

每一个房间都充满了回忆，但阁楼的回忆似乎远多于它应得的那份。我优秀的前助理兼好友珍·柏雷契（Jane Blecher）最近发现这一点，她想出一个方法，可以用来处理家里最令人头疼的房间，而且还可以好好活着谈论这个房间。

近一年前，珍的母亲以 93 岁高龄过世，珍和妹妹忍痛花了好几个月整理遗物。每一个房间都是浩大的工程，但是最大的挑战首推阁楼。"我先进入我妈的阁楼，但是我进不了门。"珍说，"我必须紧贴着墙壁，屏住呼吸。心里想着：我有什么资格进来这里？我是谁，可以作这些决定？我怎么可以把我的母亲扔掉？"珍直接跑到楼下，打电话给她最好的朋友。"我的好友告诉我一些话，这些话到现在仍然带给我力量，让我能够继续完成一切的整理程序。她说：'回忆在你心中,不在东西里头。'"

珍建议，准备好三个大型的黑色垃圾袋。拿便利贴和笔，将一个袋子标示为"垃圾"，另一个袋子为"保留"，第三个袋子为"出售或捐赠"。她说："你认为自己喜欢而且绝对要留下的东西，就放到'保留'袋子里，但是放进'垃圾'袋的东西就算结束了，你不会再回头找它，里面的东西就到此为止。"（值得注意的是，你放进"出售或捐赠"袋子里的东西也是到此为止，对你来说早就结束了，不过对其他人来说可能才刚刚开始。）

珍警告我们：垃圾袋会充满所谓的"垃圾"，这些东西沾上一团团灰尘毛球和若非必要绝不想再碰到的尘垢。

"你会变得愤恨不满。"珍继续说，"你会问，为什么这些废物没有早几年扔掉？为什么妈妈要把它留给我？"我们都要小心避免重蹈前人的覆辙。

"要有心理准备，你真的会很生气。"她提出忠告，"'保留'的袋子旁边要放一盒面巾纸。不光因为你会打喷嚏，你可能也会流泪。你会找到你多年不见的东西，也许是数十年前不见的东西，其中有好也有坏。"这时，珍的声音逐渐变小，然后她告诉我关于渔夫帽的故事。

"有一顶渔夫帽真的很让人恼火，"她说，"那是一种附有金属扣

处理冷媒（氟氯烷）

我敢断定，你家很可能有一两台旧电器，如果它还能正常运转，但你绝不会再使用，那就捐给慈善机关；如果它已经坏了，请电洽环保部门，环保部门会收集冷气机和其他使用到冷媒的家电用品，例如饮水机和除污机。

眼的帆布帽。老天，每当我们要去某个湖度假时，我爸妈总要我戴上它。我得穿上一件让人发痒的橘色救生衣（当时我七岁）才能上船。我妈会把那顶帽子戴在我头上，爸爸会解开渔具，他是史上最糟的钓客，他把船划到某个看起来不错的地点，然后把桨收进船内。这时船身会开始摇晃，我的脸也会开始变绿，我是那种动不动就可能呕吐的小孩。但是我爸觉得，如果往船外吐，会吓走鱼群，这时那顶金属扣眼小帽子就会发挥它的用途。我开始抱怨想吐的时候，妈妈会严厉地看着我，迅速拿起那顶帽子，让我吐在帽子里。之后那顶帽子会被扔掉，再买一顶新的，等下次出游时使用。"

所以，不久前某一天，当珍在阁楼里翻找东西时，发现了这顶帽子。她父亲早就过世了，她不知道那顶帽子为什么会在那里。"猜我妈只是想留下它作为纪念。"她说，"我拿起那顶帽子，只是看着它，上面有一两个金属扣眼已经不见了，有一点汗渍，隐约还可以闻到我父亲擦过的香水味，他到哪里都要擦那种香水。我拿着这顶帽子找我妹妹，说：'看！爸的帽子！'她回答说：'哈！我猜那是顶没让你吐到的幸运帽子。'我一听，突然哭起来。看到了吧？我跟你说过，面巾纸很重要。"大家意料不到的是，珍还保存着那顶帽子。你绝不知道你哪时会想要呕吐，到时帽子就可以派上用场。

没错，阁楼是令人悲喜交加的地方。决定要留下什么，要扔掉什么，看来就像是一项浩大的工程。所以我们才会花费多年谈论，我们该如何走上阁楼把一些东西扔掉，但不知怎的却从来都没有去做。我的借口包括："现在上面太热，等到秋天再说。""那里的灯坏了，光线太暗，等春天再整理。"诸如此类的理由有上百万个。不过，这里有一份我为自己准备的小型"阁楼问卷"，它有点像是迷你版"丢弃规则"，适用于这种难度最高的房间。规则简单得可笑，但是效果良好：

- 我真的喜欢这样东西吗？
- 我现在需要它吗？
- 我可以想象自己或家里任何人在可预见的未来，会喜欢或需要它吗？

如果这些问题，你全都答不出"是"，那就把东西扔掉。为了你自己好，就让它到此结束吧。

下次你到阁楼堆放新的东西时，也问自己这些问题。如果你没办法回答"是"，那就不要把东西摆上去，不论你手上拿着什么东西，都要扔掉，不要回头。让这些东西进到"垃圾"或"出售"或"捐赠"袋子里，不要放到阁楼上。

最后想一下：确定你留下的东西对你而言是一个美好的回忆。任何让你想起艰难、负面经验或是让你对自己感到不满的东西，都必须扔掉：不要在乎它有多贵重或是你妈妈会怎么说。**我们认为，自己是什么样的人，就会是什么样的人。我们摆放在周围的东西，会影响我们的许多思维，即使它平常被束之高阁，但如果它还在那里，它就会影响我们。**所以，朋友，痛下决心，尽管扔掉吧！

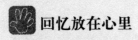 回忆放在心里

❶阁楼充满了美好和不美好的回忆,留下你喜欢的东西,即使你不会再用到。其他一切东西绝对都很容易取得,不必保留。

❷记住,对你、你母亲或其他任何人而言,这个程序都没有所谓应不应该的问题,只有"哪些东西让你感觉很好"的问题。

❸如果你必须花很多时间思考该怎么处理偶然发现的某件东西,那就把它扔掉,而且不要回顾或是事后责怪自己。就像珍所讲的,它一旦进了标示为"垃圾"或是"出售或捐赠"的袋子,一切就结束了。你已经有很好的感觉,跟着感觉走。

❹最重要的是,记住:回忆在你的心中,不在东西里头。

〈我的丢弃物清单〉

- 3 个旧枝形吊灯
- 2 面旧镜子
- 4 张折叠椅
- 2 组标准单人床头板
- 2 张旧地毯
- 1 个小烤箱

- 2 个布娃娃
- 1 块黑板
- 1 个玩具钢琴
- 1 把吉他
- 3 卷被咬坏的壁纸

总数：11 样东西

累积总数：30 样东西

〈你的丢弃物清单〉

总数：

累积总数：

你家的公用区

把好东西传给别人使用。

　　我想我们已经做够了热身操，现在可以看看你家的公用区了。也许是公寓屋顶、楼梯间或是地下室——我家的话，就是车库。车库让我一再想起阁楼，你想想就会知道，把东西堆到那里，不用决定要保留或是扔掉，实在太容易了。问题在于，任何人经过看到，都会觉得这里宛如矿坑。我问自己，别人会认为我们是什么样的人，怎么会把自家公用区堆成这样？

　　我家车库里有很多凯特和阿比盖尔大学时的家具，还有我娘家的一些箱子，我没有把它们束之高阁，是因为我打算尽快处理里面的东西——那是七年前的事了。现在，这让我觉得很糟。

　　我想，那些箱子里的其中一个，放了好几幅我哥哥杰画的钢笔画，我父母总是把这些画挂在客厅。幸好它们全都包装、密封和装箱得很好。我父母已经过世多年，我读大四的时候，我们失去了杰，他从马里兰州安那波里斯的美国海军学院毕业后，成为海军战斗机飞行员，并担任海军佛瑞斯塔号（USS Forrestal）航空母舰飞行指挥官。他在执行模拟轰炸任务时，战机在地中海坠毁了。

我知道我不打开那些箱子，是想避免那些回忆带来的伤痛，它们就像一度烧伤一样无法真的痊愈。但是我想，该是仔细取出那些画作，把它们挂在我们家的时候了；或者，其中一两幅可以挂在凯特或阿比盖尔的公寓里，甚至是我的办公室，看起来可能也很棒。

是啊，真的是打开那些箱子的时候了，这样做可以疗伤止痛，也会重新唤起一些真正美好的回忆。我和哥哥曾经一起共度美好的时光，我们彼此相亲相爱。当我们一家四口共聚一堂时，我妈妈总是会告诉我们，要"拥抱这一刻"。这样，我们才会真正体认我们有多么幸运；这样，我们无论如何都会记住这一刻。我记住了。

最近我重读剧作家桑顿·怀尔德的小说《圣路易斯雷之桥》（The Bridge of San Luis Rey），最后一段对我而言意义重大。如果你很想念深爱的某个人，它也可能对你有帮助：

> 我们被爱，然后被遗忘，但这些曾经拥有的爱已经足够。
> 所有那些爱的动力，会回到创造它们的爱身边。爱甚至不需要回忆。
> 在生和死之间，爱是桥梁。爱是唯一的生存，唯一的意义。

所以，当我在准备要扔掉的箱子中塞进东西，包括所有生锈的工具、几袋不再肥沃的土壤，甚至是凯特、阿比盖尔和薇拉同时挤进去而终于支撑不住的旧吊床时，我会打开其他箱子，拥抱其中浮现的爱和回忆。

你的情况怎样？会发现什么东西，让你重新找到或重新唤起一段回忆或旧爱吗？请再次回想"丢弃规则"。如果某样东西让你觉得很沉重或无足轻重就扔掉；如果它代表或让你想起某个美好或重要的事情，某个值得拥抱的事物，就留下。

但是，听着，你不可能想保留你女儿小时候学骑单车时用的辅助轮，对吧？我是指，她现在已经 18 岁，应该不需要了。还有那些绘画颜料、松节油以及干掉的画笔呢（我们应该在用过画笔之后，马上把它们浸到松节油里，对吧）。

说到扔掉旧颜料的方式，如果你住在城市里，想要用安全的方式丢弃旧颜料，在此提供一个窍门：将泥土装进旧颜料罐，然后在上面撒上粉状混凝土，一小时后，颜料就会变成一整块水泥，接着你就可以直接将它丢进垃圾桶了。

自行车造福世界，不会造福你的车库！

你的孩子渐渐长大，需要更大的自行车，而小型的自行车往往还会继续留着。华盛顿"自行车造福世界"(Bicycles for the World)团体会收集自行车，送给发展中国家的人民，受赠者有了更好的交通工具，生产力也会提高。这个团体已经送出数千辆自行车到许多国家，像是巴巴多斯、哥斯达黎加、冈比亚、危地马拉、洪都拉斯、纳米比亚和巴拿马。稍微关注一下，也许你发现你家附近也有类似的组织。

此外，没有理由留下那些旧花盆，至少不必留下塑胶花盆，我准备留下一些黏土花盆，扔掉其他的花盆（记住，它们只能算一样东西）。

公用区里其实有一大堆该扔的东西，问题是，如同家里许多房间中的各种东西一样（就像阁楼或后阳台），这些东西应该扔到哪里？可以扔到垃圾桶或大型垃圾装卸卡车。我朋友理查·潘恩（Richard Pine）最近请了一辆大型垃圾装卸卡车停在他家门口，他说那是他做过最好的事情之一。他正在整修一间浴室，大型垃圾装卸卡车开进来帮他丢掉所有的旧浴室装置，但是理查觉得这辆车太好用了，所以请它再待一阵子，继续帮他载走一些他认为自己不再需要的东西。

事实上，我听过关于大型垃圾装卸车的妙用。最近有位非常热情的女士寄电子邮件给我，她说："我为家人做了很多事，最好的一件是请来一辆大型垃圾装卸卡车。我最小的孩子离家要上大学时，我们请来一辆大型垃圾装卸卡车，几乎把所有东西都丢进去，从旧笔记本到坏掉的玩具，无所不丢。"所以这是一种选项，但还有另一种选项。

丢弃有害废弃物

我确定你会在垃圾里发现各种东西，旧颜料、机油、防冻剂。同样的，我们不应该随便丢弃这些东西，因为我们知道它们对环境有害。许多城镇都已订立有害废弃物日，在那一天，你可以把所有这类物件带到一个集中地点，交由专业人士处理。如果你等不了那么久，请造访 www.earth911.org，在这个网站你可以找到关于各地回收各项物资的信息。

按：清除家中大型废弃物，各地方政府各有规定，可以咨询相关部门。

我朋友莎莉·卡尔（Sally Carr）住在康涅狄克州的一个小镇，每年都会举办一次车库拍卖会，她邀请每一个认识的人把他们不要的东西带到她家拍卖，相信我，那是一项非常盛大的活动。"我举办标价拍卖和车库拍卖会已经40年了，"莎莉说，"办得一次比一次好。"

莎莉说"办得一次比一次好"，不单是指有愈来愈多的人参与，成为重要的社交活动；同时也是指，每年拍卖会背后的故事变得愈来愈有趣或是发人深省。有一个故事一直流传至今：有位女士30年前丧母，最后终于鼓起勇气，一一看过她母亲留下的衣服和配饰，然后将那些东西带到莎莉的车库拍卖会上。

你可以想象，对她而言，那一定是百感交集的一天。她母亲华丽的丝巾每条标价五美元，很快就销售一空。起初这位女士很沮丧，当初她连是否要出售母亲的用品都挣扎了好久。而在这里，它们却一下子就被素不相识的陌生人抢光。不过几周后，她看到莎莉系着其中一条丝巾，而且看得出莎莉非常珍视它。"现在我知道我做对了。"她说。

谈到做对事情，莎莉的车库拍卖会不纯粹是为了好玩。"我和其他所有参与者都把车库拍卖会视为充分发挥良好作用的一项活动。"莎莉说，"除了我的锅碗瓢盆以外，我家里的一切都是回收品。你会发现，我把18世纪的古董和本地癌症公益义卖品摆在一起。"最近她请一些人到家里吃午饭，有位宾客注意到墙上挂着一幅很美的油画。

"那是你的祖先吗？"她问道。"不，不是，"莎莉回答，"我从拍卖会上买来的。""嗯。"那女人说，"你不觉得，在自家墙上挂着你根本不认识的人的画像，有些做作吗？""一点也不。"莎莉回答，"对于家里的所有东西，我只是个管理人。这幅画是我欣赏和喜欢的珍宝，这点别人做不到。"

但是莎莉对回收的投入甚至更进一步。"我教我的孙子们，使用东西一段时间后将它们传给别人，是很重要、很快乐的事。举办标价拍卖会时，我给他们每个人一美元，有时两美元，鼓励他们去买他们想要的玩具。他们玩得很愉快，而且能找到各种有趣的东西。"她说，"但是他们真正学习到的是，如果他们可以避免一件塑胶制品进入垃圾掩埋地，例如使用其他小孩长大后不需要的玩具，并且在用完后再给别人使用，他们就对环保尽了一份力。"

莎莉的座右铭是："**如果你不需要它，就传给别人**。"

还有一件关于莎莉车库拍卖会的事情：每年她都会举办一场"最丑陋的物件"竞赛。她说："每个人都会投票，竞争非常激烈。"但最有趣的是：不论这东西有多不吸引人，设计有多差、多丑陋，或是你信誓旦旦地说"正常人绝不会想要买下它"，它总是最先被卖出去，毫无例外。

◎ **抓住举办拍卖会的诀窍**

❶**定下拍卖会日期和遇雨延后的日期**。莎莉建议在春天或秋天举行，确认一下那时候你们当地还有什么活动。"你不要跟为教会募捐的义卖会打擂台，"莎莉说，"因为那样不太好。但是另一方面，如果有好几个其他标价拍卖会要进行，你们就可以互相支援。"

❷**选择有停车空间的房子**。可以是你家或是别人家，然后摆好桌

子，浏览一下。"我们家有一面旧石墙，是供人展示器皿的最佳地点。"莎莉说。

❸预先在当地报纸、布告栏和超市刊登广告一两星期，并且在当地散发传单。在实际活动的方圆10千米内进行营销。"油价太高，你不能期望人们千里迢迢开车跑来，"莎莉提出忠告。她还说："确定你能募集到的各式各样的物品，例如亚麻布、英国韦奇伍德瓷器（Wedgwood）、铁矿石、单一抽屉的古董矮桌或是樱桃木皇后尺寸的床，这样你就可以将这些物品列入你的广告中。"

❹拍卖日当天，在邻近地区和接近主要道路的地方，树立引人注目的清楚招牌。"在拍卖会后，一定要记得立即移除所有的招牌和广告。"莎莉呼吁，"你不会想让人记得你乱丢东西吧?"

❺替你的拍卖会命名。莎莉建议："名称要听起来很有趣，'好东西标价拍卖会'听起来好像不只是拍卖废弃旧物，参观者也可能在此度过美好时光。这两者都是真的。"

❻向每位卖家或参与者收取最低的费用（通常大约十五到二十美元），用来支付广告费用和茶点。在设摊期间，莎莉和她先生赖利供应咖啡和甜甜圈给摆摊者，赖利提供很棒的午餐，包括香辣热狗、汉堡、起司烤通心粉、啤酒，并且在当天下午提供非酒精饮料。他们的标价拍卖从早上9点进行到下午4点，设摊时间预定为早上7点到晚上9点，摆摊者通常有10到12位（其中很多人会提供美味的午餐），顾客大约有100到150位。这是个非比寻常的派对。

❼鼓励每一位摆摊者清洁、修理、刷洗、更换电池、熨烫、擦亮销售物件，或做任何可以让物件变得更吸引人的事情。"我要再三强调这一

点，"莎莉说，"外观佳、状态良好的东西很好卖，相反的话就不好卖，就是这么简单。"

❽**鼓励摆摊者吸引潜在顾客,和他们攀谈,回答任何问题,借此营销他们的商品。**许多摆摊者还实际扮演起模特儿，展示他们所卖的衣服。"这种做法娱乐性十足。"莎莉说。

❾**提醒摆摊者定标价时要小心。**"这是标价拍卖，不是高档的古董店或时髦的精品店。"莎莉说，"人家来标价拍卖会，是要找便宜货，不是要买零售商品。"莎莉建议我们参考英国广播公司美国频道（BBC America）的"搜寻便宜货"（Bargain Hunt）和"阁楼寻宝"（Cash in the Attic）节目，了解如何对家庭用品进行标价。"'古董巡展电视秀'（The Antiques Road Show）让一些人误以为旧东西都很值钱。"莎莉说。但是她也指出，来拍卖会的人都很想杀价，你的定价也要考虑到这一点。"你会很惊讶，有很多摆摊者一边卖东西，一边也从别的摊位买东西，这真是充分发挥作用的资源回收。"

❿**玩得开心，说故事。**许多去过莎莉"好东西标价拍卖会"的人，隔年都会再度莅临，原因很明显：赖利除了颁奖给拍卖会中最不讨人喜欢和最丑陋的东西之外，还会和朋友们充当模特儿，把令人极度吃惊的全套服装穿戴在身上，而且衣服上还挂着同样吓人的标价。"你会看到，卖家对某位怀疑他的买家提出九十九个理由，说明他们为何需要购买某样无论如何绝对没有价值的东西。"莎莉说，"真的很好笑。"拍卖会场充满了笑声和故事，当然，结果证明故事也一样重要。"如果有人出售的东西，曾经属于他们的父母或是他们挚爱但已经过世的人，气氛就会有点感伤。"莎莉下结论说，"有时候，他们喜欢诉说

他们思念的人的事迹以及为什么这样东西如此特别。聆听是很重要的，它有助于让人放下某些东西。"

好，依照我的计算，我已经丢掉三十多样东西，而且我还是遵照"同一类东西即使有许多份也只算一样"的规则。你一定也有如此佳绩，所以现在你可以说，没有什么事情可以阻止你迈向75、100，甚至更多样的丢弃物清单。

现在是将你的清单更新，向自己确认进度的好时机了。正面鼓励最能提供你坚持下去需要的干劲，前面还有漫漫长路要走。记住，我们的目标是清除层层叠叠、不相关的过去，以便开始建立一个新未来，这个未来不只适合现在的我们，也适合我们即将成为的那种人。我有一位老朋友常说："你可以把巧克力酱淋在猫食上，但那仍然是猫食。"把它扔掉吧。

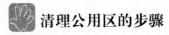 **清理公用区的步骤**

❶你会担心有人经过,看到公用区所有的东西吗? 谁管他们想什么,对吧? 尽管如此,公用区似乎变成某种临停小站,我们把其实并不想要、但尚未决定是否要丢弃的东西全放在那里,现在该是丢弃它们的时候了。

❷同样的, 唯一的例外是你应该保留对你具有某种意义的东西,比方说兄弟姊妹的照片。无论如何,那些东西不应该放在公用区,把它们挪到它们所属的地方、使用它们,或是像莎莉说的,送给别人。

❸考虑用大型容器,在上面贴上标签,把它放到你正在使用的零星杂物存放处。采取容易取用而且美观的方式加以堆叠。等到整个区域全都清理完毕,请考虑将公用区重新粉刷一遍。说真的,我知道有人在清理好车库之后,将车库内部漆成天竺葵那种红色,看起来绝对很棒。看得出来,他很喜欢他的车库。

❹举行车库拍卖会,邀请你认识的人,包括他们的小孩,共享盛举,请他们不只拿要卖的东西前来,也带一些吃吃喝喝的食物来,把它变成一场派对,庆祝把好东西传给别人使用(即使其中某些东西有点丑)。

〈我的丢弃物清单〉

· 34 个破掉的柳条编织蓝
· 14 个旧黏土和塑胶花盆
· 8 罐旧漆和油漆稀释剂
· 1 袋肥料
· 1 个柳条箱

总数:5 样东西
累积总数:35 样东西

〈你的丢弃物清单〉

总数:
累积总数:

第 2 部

工作，更有冲劲

确定你是谁，你不是谁

真正的喜悦不在于成就，而在于奋斗。

虽然我也想要过一阵子再说，但现在该是前往办公室的时候了。就传统的"办公室"定义而言，你现在可能没有办公室，拥有办公室的人愈来愈少了。或许你家里有个小型办公桌是用来处理公务的区域，但空间大小并不重要，丢弃东西的程序仍然几乎相同。不论你是单位新人、高级主管，或者就像某个朋友说的，只是有名无实的"虚衔"，对你而言不再有用的东西，你就要放手。

我一直都很欣赏史蒂夫·贾伯斯（Steve Jobs），他知道何时该牢牢掌握，何时该放手。几年前，他在斯坦福大学的毕业典礼上对毕业生发表演说，内容非常精彩而且令人难忘，我至少已经转寄了一千份他的演说。

他谈到热情、信心，甚至死亡。"死亡很可能是生命中最棒的发明，是生命交替的媒介，送走老人们，给新生代开出道路。正是你我现在正在做的事，不是吗？你们的时间有限，"他说，"所以不要浪费时间活在别人的生活里。不要被教条所局限——盲从教条就是活在别人的思考结果中。不要让别人的意见淹没你内在的心声。最重要的是，**要有勇气追随自己的内心与直觉**，你的内心与直觉多少已经知道你真正想要成为什么样的人，其余事物都是次要的。"

接着他说到下面这个精彩的故事。"我年轻时，"他说，"有本叫做《全球目录》(*Whole Earth Catalog*)的神奇杂志。"他说，这本当年他奉为圣经的杂志，是由斯图尔特·布兰德(Stewart Brand)在 1960 年发行的，而且是用打字机、剪刀跟相机做出来的。他形容杂志内容有点像"书面平装版 Google"——带有理想主义，充满新奇工具与见解。

他说明布兰德和他的团队如何出版几期的《全球目录》，惨淡经营，直到该放手的时候，他们出了停刊号。贾伯斯说，停刊号的封底有张乡间小路的照片，那里有点偏僻，是"那种你年轻时四处搭便车旅行会经过的乡间小路"。照片下印了行小字："求知若渴，虚心若愚。"(Stay Hungry. Stay Foolish.)那是布兰德和他团队的告别讯息。"我总是以此自许。"贾伯斯下结论说，"而今，当你们毕业并且展开新生活，我也以此祝福你们。求知若渴，虚心若愚。"吾友，我也以此为你我祝福。

我真希望我能够勇敢当个傻瓜，或安心抓住你想都没想过的美好事物，这不会太困难。尽管如此，我知道，**真正的喜悦不在于成就，而在于奋斗**。奋斗有一个好处，它让你一直在抛开过去。你要改变、进步，成为你打算要做的人，这是唯一的方法。我父亲总是说："保持脚步轻盈，准备跳舞。世界转动太快，让你不知所措。爱上改变吧。"

以下是要点：如果你因为旧简报幻灯片、被驳回的提案、不相关的资料、从未拜读过的企管大师最新力作,而被困在大理石块里,你就无法保持灵活并且随时舞动。你得拿出锤子和凿子,凿掉不需要的大理石块。

因此,现在我们走进办公室了,你有什么要扔掉的东西?标准要严格。保守而言,我在这里看到大约75到100样要丢的东西,包括所有的书本和文件。不幸的是,它们全都属于同一类,只能算是一样东西。但是我认为这很公道,对不对?否则我们早就集满50样要丢掉的东西了,老天知道,我们还差得远呢。

我有点害怕这项丢弃任务,因为光是想到要翻遍办公室,我就几乎不知如何下手。过去十年,身为企业家,我对自己的公司尝试过各种不同的策略,有些奏效,有些没有发挥作用,而所草拟的每一项策略都意味着一整套东西:文件、对企业的推销资料、新书构想、工作笔记本、光碟、大量的网站设计和副本、看起来应该有多达数百份的简报幻灯片、数千页的辅导个案笔记以及放满他人著作和手稿的书架。

不论你是不是企业家,你的档案柜和抽屉里一定塞满类似的档案和资料夹,问题在于:这些东西里,有多少真的与你扮演的角色或是你即将成为的角色相关?

要想知道办公室里该丢掉哪些东西,必须先弄清楚你打算让自己成为什么"品牌"。这意思是,就像广告所要传达的,你所主张的价值是什么?什么要素可以显示出你个人的品牌特点?你致力想达到的目标是什么? 不论你扮演的角色、从事的工作为何,你都形成了自己的"品牌"。如果你没有自己创造出个人品牌,别人也会在心里帮你归类为某一种"品牌",而他们所认定的你,很可能和你认定自己拥有的特点是不相符的,但是你可以让自己的特点和品牌相符。

有一点绝对是我们成功的关键:**从根本上来决定我们是谁?能让我**

们与众不同或是可能让我们与众不同的因素是什么？这表示对我个人的"品牌"没有作用的部分，我必须放手。如果你用这种方式来看你的"品牌"，要丢弃不再适用的东西（不只是橱柜里的东西，还有办公室里的东西），就容易得多了。

对我而言，我要抛开的是所有的文件和提案，它们和我格格不

文件要保留多久？

贵公司可能有规定，什么东西可以扔、什么东西要建档、什么东西要用碎纸机处理。不需违反公司规定，重点放在除去周围环境中不需要或负面的东西即可。在家庭的办公桌上，你可以使用这些原则：

- 银行对账单：只保留与税务相关的部分。
- 账单：保留一年，但是要确定已经把注销支票退回去。
- 信用卡记录：保留与税务相关的所有对账单七年；确认收据符合对账单之后，用碎纸机处理掉。
- 薪资明细表：保留一年。接到你的工资表格，确定一切符合之后，就可以用碎纸机处理。
- 退休计划声明：保留年度摘要，直到你退休为止，但若一切符合的话，请用碎纸机将其他部分处理掉。
- 退税和记录：保留七年。

现在也有类似 SiftSort（www.siftsort.com）的公司，你在这里可以使用浏览器、行动装置、电子邮件、传真或免费热线，以安全、可携的方式来取得重要资料，例如退税、财务报表、护照、病历和保险卡等。

入，我一直试着把自己"一个圆型的木桩"塞进方形的洞里⋯⋯我一直要求自己面对企业时，把自己定位成组织结构或危机处理专家，但在这两方面我都不是高手。好消息是，我知道很多高手两个部分都拿手，而且当我发现某位客户需要其中一种技能或是任何一种本公司品牌不具备的技能时我会全心全意地推荐有这些能力的同行。

我扮演的角色简单得多：我是个激励专家。我协助别人发现自己原有的长处，并且让他们知道，要如何将自己最好的一面带进生命下一个精彩的阶段。我做的事纯粹而简单，而且每一件事，包括我发表的每一场演说、写的每一个专栏、举办的每一场研讨会、和某人作过的每一项一对一指导课程，都必须达成这项承诺，所以不符合我经营定义的任何事物，都得舍弃。

保守估计，我准备丢掉至少 30 份大型文件和提案。对你而言，你要丢的可能是旧档案、简报幻灯片或报告。我敢说你一定有很多这种东西。看，要达到 50 样有多简单！我应该将这本书取名为《丢掉 150 样东西》或《丢掉 200 样东西》才对。

你的情况是什么？你的"品牌"致力于提供什么？不论是为自己或是为别人工作，你都要兑现承诺，而且要坚持下去。要勇敢、热情、独特，有什么是你可以提供，而别人提供不来的东西？让你与众不同或是可以与众不同的因素是什么？你希望别人如何简单有力地用一句话描述你？他们会说："对，真不愧是xxx，他就是这样的人。"（你等一下就会发现，我非常喜欢让人用这个句子照样造句。）他们用的字眼要让你感到兴奋，这样你才会在心中想："对，这点他们说对了，这就是我，没有人做得比我更好。"不符合此说明的任何一切事物，都该被丢弃，不论是心灵或实体的事物皆然。

记住，杂物会让你看不清事物，也会阻碍你的灵活度，甚至阻碍你定期或偶尔重新发现、提高和改造"品牌"（视市场情况而定）的机会。

我的好友贝丝·康斯托克（Beth Comstock）绝对是个深知自身"品牌"要素的人，她将自己定义为变革触媒。不论处在哪个领域，她都非常善于刺激创新和变革，她具有找出新模式的神奇能力：找出新方法，将看似不同的旧构想，联结到整套的全新构想。就我来看，这正是创新和策略思考的表现。所以要是贝丝将自己定位为"操作型""细节向导"甚至是"战略型"的人，都会违反她的"品牌"要素，会模糊甚至完全混淆让她显得独特的因素。

最近一项任务需要她负责拟定策略，由于她不仅聪明，对于任职的公司非常忠诚，同时也和团队成员互动良好，所以她用一贯的坚持来处理任务，表现得非常好。如果她继续走操作型路线，在这家公司或是另一家公司向上发展，应该是易如反掌，而且也很让她心动，她绝对办得到，但那不是真正的她，而且到最后，这种做法不会让她在公司内外脱颖而出。

所以她说服老板（幸好对方很开明），接下来指派给她能够运用个人创意和激励变革能力的任务。当她接下新职务，她也换了办公室。过去她换过很多次办公室，但每一次她的旧办公室还是有很多要丢掉以及要带进新办公室的东西。

贝丝说："我每次换位子，就发誓决不再累积这么多东西，但是每次搬迁，我又会开始整理东西，然后心想，为什么我会留下这东西？我当时在想什么？"你拥有人们通常会在办公室摆放的那些小器具和小装饰物吗？我有，贝丝有，或者曾经有过。她对我说："为什么一个成熟的女性，需要放一只有人一进办公室就会吱吱叫的小鸟？"这把我问倒了。

她继续说："还有，我真的觉得那些用克林顿总统形象制作的俄罗斯娃娃很特别吗？我记得，有位老同事喜欢收集挥臂准备投球的小雕像以及热狗纪念品，我一想到他，就会想到这些东西，我的意思是，谁想要让人记得自己是热狗先生？"

贝丝的主要嗜好之一是阅读，这次搬迁，她终于把全部的书翻看一遍，挑出她认为可有可无的书（其实她发现三箱的书——数一下，是三箱！这三个箱子从未开封过，它们被淘汰了）。贝丝说："我喜欢书，书可以激发我的好奇心，也许我认为，它们象征我对同事所扮演的角色。我终日与书为伍，还直嚷着我要学习，我是好奇宝宝，我很聪明。"但贝丝决定，或许她不再需要展现这种形象，而且有时候，藏书过多反而把她拖垮了。"书籍是一种负担和挫折的来源，因为它们每次都让我想到，我从没有足够的时间和精力消化已经看过的书籍，更别提还没有出版的书籍。"贝丝总共要送走十几箱的书（我告诉过你，她可以教我们关于书本的一些事情），她将其中几箱转交给同事，箱子上贴着便条纸，说明她喜欢这些书的理由以及同事们可能也会喜欢的理由（很棒的想法）；其中几箱则是寄到纽约公立图书馆的。她也购买了亚马逊(Amazon)推出的电子书阅读器Kindle，Kindle 可以容纳两百多本电子书，她使用的商业书籍和参考书都在里头，这样她书架上就能摆满可以启发和激励她的书籍。

贝丝确实深受数字时代影响，《纽约邮报》(*New York Post*)称呼她为"数字女神"(the Digital Diva)并非毫无道理。她致力于无纸化，所有文件归档时都采用电子档案。她建议将 Google 当作桌面搜寻应用程序，她说："它让使用者能够根据几个关键字，找到每一封电子邮件、文件或简报。"

当然，不是所有东西都会被送走。有一箱东西，从她第一份工作开始,就跟着她四处跑。"它就像我的专属宝箱,"她说,"里面有相片、旧宠物的档案、特别的信件、简报和具有情感价值的事物。我每次有变动,就会加进一些东西,有时候,我会扔掉不再让我感动的东西。我想,留着这些东西是一种让我自嘲(那通常是疯狂的旧发型),或是对自己说'干得好!'的方式,并且提醒我自己,那些令我真正自豪的经历和成就。"

顺带一提,有一口这种箱子真好,只要你知道,你为什么要保留那些特别的东西就好。如果想不出原因,那就放弃吧。

墨盒

每个人都知道如何回收纸张,但是其他办公室耗材,比方说墨水和墨盒呢?一家称为墨盒世界(Cartridge World)的公司(www.cartridgeworldusa.com)付费回收空墨盒或是替人重新填充墨水,收费远低于新墨盒的价格。这家公司在全美各处设有便利的回收点,这就是该公司的"品牌"。

按:中国也有回收墨盒的地方,可以网上查找。

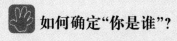 如何确定"你是谁"？

❶决定你是谁、不是谁。清楚写下是什么因素让你在公司内部或其他地方与众不同，宣布你的"品牌"承诺，并将以下这些字加到后面："……而且没有人做得比我好。"要勇敢。

❷有些事物会模糊或转移你的"品牌"定位，或是把你拉回你对自己的一些旧观念，请丢弃这些东西。要严格。

❸考虑一下贝丝的建议，走数字化路线，并且减少纸类杂物。要彻底。

❹不要花太多时间分析过去哪些方式奏效，哪些方式没有发挥作用。要放手，这样你才能够生活在当下，在当下专心工作。要活在当下。

〈我的丢弃物清单〉

·22 本我从未读过的企管大师书籍
·33 份真的很旧、从未反映我目前"品牌",而且会让我退步的公司简报幻灯片

总数:2 样东西
累积总数:37 样东西

〈你的丢弃物清单〉

总数:
累积总数:

丢，是为了不提当年勇

只靠过去荣誉和成就生活的人，极其乏味。

我认识一个人，这个人把他过去 30 年住过的每一间饭店的房间钥匙展示在墙上。说真的，有些钥匙来自一流的饭店，例如伦敦里兹饭店、法国里维圣拉安蒂贝岬的海角饭店；也有一些钥匙来自没那么梦幻的地方，例如宾州匹兹堡的假日饭店和佛罗里达州塔拉哈西的戴斯酒店。它们勾起的回忆有好有坏，但不论好坏，它们都在那里。我问他为什么要留下这些钥匙。"我也不知道，"他说，"我长久以来一直在收集钥匙，我喜欢看着它们。"

把带给我们愉悦，让我们赏心悦目的东西留在身边无妨，即使是放在办公室里。我想，如果我办公室里没有吉姆、凯特、阿比盖尔和薇拉的照片供我和进门的每一个人观看，我一天都撑不下去。**但如果有些东西让你心情沉重或是感觉不好，让你觉得疲倦，或是让你在生活或工作中**

无法更上一层楼,它就得离开。

　　说到如何决定什么东西该丢掉,不久前某一天,凯西·罗伯(Kathy Robb)一边和我讲电话,一边在她办公室里到处找东西,结果找到公司几次郊游所留下来的一堆棒球帽。再次证明了何谓 "苦中作乐"(forced fun),对吧?有一顶帽子特别吸引她的注意。"我的老天,"她说,"那顶棒球帽真的让我很郁闷。"

　　凯西是环境保护律师,经常得出差到现场进行环境稽查。其中一次查访是场噩梦。那次,她的小女儿得了感冒,凯西片刻也不想离开她,更别说要离开三天。雪上加霜的是,她的航班因为暴风雪而延误一整天,可想而知她的内心有多煎熬。

　　公司提供的棒球帽放在礼品袋中。她回到办公室时,直接把它丢到架子上,和所有其他东西摆在一起。"你知道,"她说,"我光看着这东西都会觉得反胃。"就在那时,她叫我暂时别挂断,起身走到书架,抓起那顶帽

更好的碎纸机

　　你可能想要将大部分机密文件用碎纸机绞碎,而且说真的,这也是避免出现一些侵权行为的好方法!(如果你不相信我,就试试看)你知道要买哪种碎纸机吗?市面上有两大类:

　　·条状碎纸机,将纸张绞成细长条。你需要大型的篮子来接住这些细长纸条。这种机型可以处理大量纸张,不必经常维修。

　　·粒状碎纸机,将纸张垂直和水平绞碎,变成任何人都难以拼凑回去的碎纸片。要压缩这种碎片容易得多,所以这种机型所占的空间不像条状碎纸机那么大,但是成本往往比较高,必须经常维修。

子,直接丢到垃圾桶里。"哇,感觉好棒,"她回到电话机旁时说(我可以明确地告诉你,凯西后来还是从垃圾桶捡回那顶帽子,把它丢到适当的回收桶。你知道,她可是环境保护律师)。

工作与生活如何平衡的问题困扰着和我共事的每一个人,不论男女都一样,而办公室里的一些东西会让我们所有的人想起那些似乎只有工作没有生活的日子,那些东西真的会令我们感到郁闷。

斯科特·普雷斯(Scott Preiss)是某金融机构一位高效率的高级主管(管理自己的财富除外),他是个值得尊敬的人,因为他对家人绝对奉献,一有机会就陪家人。他曾经到过一些非常吸引人的外地出差,例如莫斯科、突尼斯、伦敦、北京等地,但根据他本人的说法,他从未到那些城市的任何著名景点参观。

他的同事出差一有机会就会多待几天,以便能够四处看看,他却从不这么做。"我的态度是,出去做完事就回来。"他说,"我会在可能的范围内,尽一切努力回家吃晚饭(家庭沟通和联络感情的最后一个传统),这样我才可以听到小孩生活中得意和失意的事情,这样我才可以陪在他们身边。"

你在想,真了不起,对吧? 别急,再听听接下来他怎么说:"说真的,"斯科特说,"当我出差在外的时候,心情总是很沉重。对我来说,没有老婆和四个孩子陪在身边,看到什么奇景或是进行什么非凡的探险,我都没有感觉。"如果你可以看到他对我说这番话时的神情,你会知道,他句句属实。

那么斯科特做了哪些事,以协助清除这些事业与家庭失衡的部分回忆呢?"每年 12 月,我会有如举行宗教仪式般收集前一年的资料夹,这些用颜色标示的资料夹,代表许多天和许多小时的跨国谈判、冲突,有时则是圆满解决事情。我所看到的,不是我获得的正面影响,而是我因为错过晚餐、微笑、拥抱和充实心灵的对话所感受到的失望。所以,每年我都会收集好这些太重要而无法销毁,但又令人痛苦到不想保留的档案,然后带着满意的微笑,将它们送去档案保管处归档。当这些箱子离开我的办公室时,我觉得,这种事业与家庭失衡的蠢事所带来的郁闷,至少有一部分已经排解掉了。"好,我想大多数人都没有档案保管处可以处理太重要而无法销毁,但又令人痛苦到不想保留的档案,对吧?但是必要的话,我们有储物间或公设区,只要利用适当的容器和标签,就可以让这些东西远离我们的视线,甚至远离我们的心灵。我们必须这么做,不做的话,会削弱我们的活力。

你看都不看、但又不可以扔掉的重要文件,可以将之数字化,让你眼不见为净。同样的做法也适用于:你担心万一你哪天要用,却发现可能已经遗失或错置的重要生活文件。幸好我们生活在数字时代,对不对?数字化并非万灵丹,但是就目前而言,它让人感觉真好。

派蒂·柏金斯(Pat Perkins)在康涅狄格州一个可爱的古老城镇上销售房地产,她把要丢弃的东西写下来。我认为,她的态度可以激发你再仔细察看一次有哪些东西需要丢弃。她说:"我们这一代,也就是快速老化的婴儿潮世代,有收集东西的特别需求。也许是因为我们的上一代生活在物资缺乏、靠着配给度日的二次世界大战时期,他们平日省吃俭用惯了,而我们透过观察学会:每样事物应该都具有价值。现在的孩子爱扔东西,东西一旦坏掉、破损、过时,他们就会扔掉,重新来过。"派蒂已经不是孩子,但是她很擅长重新来过,不沉湎过去。"我一直都能够顺利转换跑道,并且在转换跑道时,快乐地抛开过去的东西。"

她指出,她丈夫罗德刚好相反。"他仍然保留某银行正面的一个巨型铜制招牌,他曾经是那家银行的总裁。为什么?"派蒂自问自答,"我认为,重要人士比我这样的市井小民更难放弃以往工作上的东西。"她说,"对我而言,**只靠过去荣誉和成就生活的人,极其乏味**,我不想要听到你在高中时代有多杰出或是你以前有多少一天骑20英里自行车的经历。我会比较好奇：你现在怎样安排你的生活？好汉不提当年勇，做了就做了，要从过去汲取经验，然后继续前进。"

派蒂知道孰重孰轻，至少从她的观点来看，她的确知道。如果你见过她，就会对她清楚的脑袋、充沛的活力和乐观的精神刮目相看。这其中有一些需要学习的地方：不论你是谁或曾经是谁，是大人物还是贩夫走卒，都要抛开旧有的事物。你还有多少空间和活力改造和重塑自己？"我喜欢改变，而且已经准备好进行下一次大冒险，"派蒂说，"这就是我对生活的看法——生活是一连串的冒险。"难怪她能交到这么多朋友。

派蒂的观察很有意思：大人物或位高权重的人真的很难放弃往日工作上的一切。我有位朋友也是客户玛莎·吉利兰（Martha Gilliland）就是个好例子，她认为要竭尽全力，才能达到那种放下往日荣景的特殊境界。

玛莎是个知识分子、真正的学者、科学家，她最终的梦想，是奋斗到底，成为受人景仰的科学家和公立大学校长，带领学校转型，让学生拥有不同的学习经验。她60出头时作了一个结论：她已尽己所能达成这些梦想，包括成为受人景仰但不出名的科学家，成为受人尊重的大学校长，但

不要的电脑

你最近换新电脑了吗？要怎么处理旧电脑？如果在移除所有个人档案后，它还能正常运转，那何不把它捐给当地的老人服务中心？如果它坏了，把它拿到你当地的史泰博（Staples，美国知名办公用品供应商）分店。你只需付十美元的费用，他们就会拆解电脑，并负责后续的零件回收作业。

按：中国内地有中国扶贫开发协会开展的"绿色电脑扶贫行动"，提倡各大机构和企业把不用的电脑捐赠到贫困地区，用以改善农村中小学计算机教学环境和信息化基础条件。

只是半途、而非一路领导她的大学,朝她所构想的转型迈进。

因此,她决定抛弃那些年的成就和奋斗所带来的一切资料,包括许多的科学论文甚至奖牌和奖牌。噢,她不是要把这些全扔进垃圾桶,她把它们装箱和贴标签,以便儿孙留念。她一时兴起,跑到百思买(Best Buy)买了一台扫描仪,这样她就可以整理所有的论文和照片。她在筛选这些文件时说:"我很震惊,激动得不能自持,有时候甚至无法动弹。简直就像我是头一次看到它们。而且这是头一次,我真正看到它们的美好。"

玛莎告诉我,她大声说:"嘿,这东西很棒!我是怎么办到的?哇!我是个如假包换的科学家,对不对?"但是她很害怕"终于要永远抛开旧有的梦想了"。

"如果我的志向不是成为科学家,如果我不准备拥有显赫的头衔、宽敞的办公室、响亮的名声,我要做什么样的人?"她自问。在经过筛选和重新检查之后,在经过包装和扫描之后,玛莎终于得到答案。"我要解放自己。"她说。

艾迪·布里尔(Eddie Brill)是杰出的单人脱口秀表演者,也是大卫·赖特曼晚间脱口秀的暖场表演者,他几乎每天都抛开过去。"我是说,我连我最精彩的表演录像带都没有留下。"艾迪说,"做了就做了,没有怀旧的余地,我活在当下。"

艾迪认为,他抛开"旧"作的能力,让他更可以好好和他所接触的每一位新观众互动。"如果我想要感动他们,就必须了解他们,包括:他们是什么样的人?需要什么?如何与众不同?没有时间去想过去哪些事情奏效,哪些没有效用,我只想到现在。"我同意艾迪的看法。你周围东西愈多,特别是过去工作上的事物,就愈少真正和现在对你很重要的人群联结。空间真的很有限,下次你把那叠文件从书桌右边挪到左边前,先想一想好吗?

丢掉过去光荣的步骤

❶看看你办公室里的小玩意儿、小工具、纪念品、照片、墙上的悬挂物,甚至笔筒,然后问自己,它们让你心情沉重还是愉悦? 如果是前者,你知道该怎么做。

❷考虑要扔掉还是要保存以前得到的旧奖牌和奖状。我们没有足够的时间或精力回顾,我们知道哪些东西早已成过去。我们的工作是发现新事物。

❸有些东西太重要而无法销毁,但又令人痛苦到不想保留,把它们装箱,贴上标签,然后放到储物间、车库或任何收纳空间,不然就用数字化的方式保存,总之要让它们离开你的视线。

❹清完所有东西时,问自己以下问题:"我是谁?"然后用清楚的声音回答:"我自由了。"

〈我的丢弃物清单〉

·3本书的旧手稿(完成数字化,而且也已经出书了!)

·数十份和公司签署的书面合约,包括研讨会、演讲合约、指导任务等(它们也已经数字化了!)

·7个公司活动所留下来的有趣纪念品,包括帆布背袋和塑胶纸镇

总数:3样东西

累积总数:40样东西

〈你的丢弃物清单〉

总数:

累积总数:

别让奖杯害你不进步

你最伟大的作品，在你面前等着你完成。

为了抛开过去，有时候代价是失去一切，这点似乎不大合理……

大卫·霍夫曼(David Hoffman)是数一数二的纪录片制片人，他说，他四十多年的职业都用来记录所谓"不凡或平凡人"的故事。他所拍的125部写实影片，在黄金时段的公共电视、广播公司、探索频道和A&E电视台播映。他的故事不只聚焦在名人身上，像是美国已故总统里根，歌手厄尔·斯克拉格斯(Earl Scruggs)、蓝调之王比比金(B. B. King)、歌手鲍勃·迪伦(Bob Dylan)、民谣歌手琼·贝兹(Joan Baez)以及美国前总统卡特(Jimmy Carter)，他也聚焦在你从未听过的人身上，这些人因为霍夫曼而令人永难忘怀。

大卫·霍夫曼住在他所拥有的加州邦尼顿镇片厂里，位于加州圣塔克鲁兹山脉的顶端,众所周知的"大树乡"。不久前的一个早上,他天刚亮就出门,开着车子翻山越岭到硅谷开会。等到大约早上 6 点半,他太太海蒂来电,在他手机里尖叫着说,他们的房子和大卫的制片厂失火了,她刚打完报警电话,然后就抓住他们年幼的孩子夺门而出,想警告四周的邻居。

大卫以 120 英里的时速急驶回家,老远就看到他们居住区域的上空冒出烟雾。这场四级火警动员了 50 名消防队员,队员尽一切努力抢救房子和片厂。房屋方面,至少骨架还在;但是大卫的片厂,包含他的毕生心血以及他目前正在进行的专案所建立的一切档案资料,全都化为乌有。他的影片图书馆和 43 年来所累积的原始影片、他的八座艾美奖和其他影片奖状和奖章、他的工作文件、跟着他经过 12 次搬迁的 38000 磅资料,所有的一切(这真的是一切了),都在顷刻间化为灰烬。

起初,大卫无法承受打击,他坐在焖烧的瓦砾堆中哭泣,心想,一定有什么东西可以抢救出来。他和女儿吉妮(Jeannie)以及一直在远处观看的邻居们开始挖掘。大卫一家邀请他们认识的每一个人跟他一起挖掘。"我们像疯子一样在残骸中挖着,"大卫说,"我们拉出数千张底片和照片,它们的边缘四周全都烧焦了;我们甚至分辨不出它们属于哪些影片,全都没了,我毕生的创作历程以及我必须留给妻子和三名子女唯一与财务相关的资产,全部毁于一旦。"

但是大卫是个乐观主义者。"你知道,我从未制作出令人沮丧或负面的影片,我所制作的影片都是关于生命光辉、关于胜利,关于人的伟大,而且我知道,不论我从这场悲剧中创作出什么,那都会是定义我自己的创新诠释。我必须作出选择:我可以选择完全停止,或是继续前进。我选择继续前进。"

这真的是他的决定性时刻。"我决定这样看待这件事,我得到一个新机会,一个重新来过、做出个人最伟大作品的机会,一个我从未想过能够拥有的机会。火已熄灭,凤凰重生。我决定,这能成为一段令人振奋的时间,我可以真正为我生活中的重要事情建立新标准。"以下是他的承诺。"从现在起一年内,"他告诉我,"我要能够说,是我选择了这场大火。"

那么你选择了什么?你选择完全停止,还是继续前进?让自己周围充满个人历史的遗迹,还是对自己未来的可能性感到喜悦?你要作出决定,现在就决定,这样才够紧张刺激。

 浴火重生的唯一步骤

了解一点:你最伟大的作品在你前面等着你完成。

〈我的丢弃物清单〉

·我会摒弃半夜可能油然而生的一
种恐惧：未来可能不像过去那么美好。

总数：1样东西
累积总数：41样东西

〈你的丢弃物清单〉

总数：
累积总数：

第 3 部

情绪怎么丢

其实你一直知道哪些情绪该清理

相信你已经体认到实体杂物与情绪杂物之间是如何密切相关了。即便是丢掉老旧破损的浴室脚踏垫这样无关紧要的东西，也能轻易一并丢掉你的一些旧观念。我知道，因为我最近才扔掉一个旧浴室脚踏垫；其实我大可继续用，毕竟它还好好的(就像那些已经用秃了的旧口红)，至少还没有完全坏掉，也许我该继续用下去，毕竟，我们都是能省则省。但是它看起来不够好，没达到我对自己身边物品应该有的品质水准。或者，光就脚踏垫而言，它已不是那种让我愿意赤脚踩上去的东西。

我的一位好友认为，**我们应该用"它让我感觉如何"为标准，仔细检查周围每一样日用品**。例如她家里绝对不会出现金属衣架，当衣服挂在印有"我们热爱客户"标语的金属衣架上，从洗衣店拿回来时，她会立刻扔掉或回收那些衣架，换成木质或加垫的衣架。"金属衣架有损自尊。"她的说法是，"它们很廉价，让你觉得品质低劣。该拿去回收。"我接受她的建议，我两个女儿也一样，我们都觉得这样做让我们心情为之一振。

这个例子说明了实体杂物与情绪杂物之间有无可否认的关联性，只是如今这类例子已司空见惯，以下是比较惊人的例子。我认识一位年轻女性凯莉，她最近刚刚离婚，决定重新展开人生：她要搬到新的城镇，找新的工作，并且希望认识一群新的朋友。她正处于"丢掉50样东西"程序中最剧烈的时刻。她一直做得很好：丢掉她和前夫共同拥有的许多东西相当容易，有些她从没感兴趣过，有些则只会勾起她负面的感觉。但是面对结婚照片和礼服时，她问道："我该怎么办？这桩婚姻已经结束了或至少我很努力让它结束……"她的声音愈来愈微弱。

事实上，凯莉虽然离了婚，却没有真的"结束"这桩婚姻。好几次她在半夜醒来，怀疑自己做错了，怀疑婚姻失败是不是都是她的责任，怀疑她是否对挽回婚姻努力得不够多。（每当有人告诉我她正在为她的婚姻"努力"，我就会感到一阵悚然。我的脑海里会浮现一个影像：她在街头上，和起重机还有一群工人在一起，还戴着一顶安全帽。）

不论如何，当初凯莉穿上结婚礼服时真的很美，那真是难以言喻的幸福时光，你可以从照片上看出来，照片中的她深陷爱河，而且肯定自己从此会过着幸福快乐的日子。她的确过得很幸福，只是幸福只维持了四年，要不是出现情况，她觉得应该会维持更久。这个情况就是，她开始发现，她的丈夫布雷德对正直（是与非）的看法和她天差地别，让她几乎每天都在生他的气或是对他感到很失望。

"他的个人信条可以总结如下：只要没有人发现真相，那就没关系；只要每个人都做，那就没关系；只要有利可图、有名可求，而且他有办法撇得一干二净,那就没关系。"他显然涉及一些见不得人的勾当,让他赚了很多钱,但没有被抓到,还因此非常得意。事实上,她说,他变得傲慢、爱耍特权,甚至开始大摇大摆。"我知道听起来很难理解,但是当他碰我的时候,我会不自觉地畏缩起来。"

有一天,凯莉终于崩溃了,她发现布雷德欺骗他们一位共同的朋友,他们一起完成一笔生意,布雷德却将他朋友应得的那一份获利骗走。原来布雷德伪造合约,在实际数字上动了手脚。这位朋友一直都很信任布雷德,虽然他很困惑为什么这笔生意的获利远比预期少,而且本来指望拿这笔钱偿清积欠的贷款,但他并未质疑布雷德,接受了他的说法。凯莉非常吃惊,拿这件事质问布雷德,布雷德被激怒了,说她根本不了解事情"已经结束了","你就忘了吧"。

她说:"如果这种手段他都用了,那他还会做什么?他会欺骗我吗?他会对我不忠吗?我要用他那种价值观来养育我的孩子吗?"隔天她告诉布雷德,她没办法继续维持这段婚姻,他说:"我无所谓,真难想象我居然娶了一个这么愚蠢又天真的老婆。"

所以,面对漂亮的结婚礼服和美好的婚纱照才会如此棘手。我说:"你真的彻底结束这段婚姻了吗?你不能想要鱼又想要熊掌。"凯莉皱着眉说:"这件礼服真的很贵。"我告诉她:"你可以卖掉。"她问:"那照片呢?""你可以烧掉或是送给妈妈,里面有一些家族聚会照片拍得不错,就看你的决定。你觉得怎样?"她深吸一口气,然后说:"烧掉。我和布雷德结束了,我和那种不好的感觉,和那种将我拉回过去记忆、让我忘记自己有多好的过去,都再也没有关系了。结束了!"凯莉公寓里刚好有一个壁炉,所以我们就把照片全扔进去烧了,接着又打电话给寄卖商店,安排将礼服送去寄卖。到此为止。

在你生活中,无论是工作、感情或仅只是友谊,有哪些事情是已经"终止",但还没"结束"的(be over but not done)?如果某件事还没有结束,可能会一直困扰我们,把我们拉回过去,让我们觉得无能、愤怒、痛苦等,你能说出一大串这类形容词,但堆积这种情绪杂物一点好处也没有。所以问题在于,我们必须丢掉什么东西才能真正结束?要丢的也许是实体的物品,也许是心灵的杂物,也许两种都有。

事实上,在凯莉烧了照片、卖掉结婚礼服后,她婚姻失败的一些残余势力仍然困扰着她。她仍然感觉很糟,仍然觉得自己或许该更努力维系感情,仍然觉得她也许能改变布雷德。凯莉的这种想法并不实际,她应该抛开遗憾、愤怒和力不从心的感觉,才能够继续向前,为人生的下一个阶段建立新目标。

为此,丢掉50件东西的第三阶段就是"大扫除":将内心的杂物集中起来丢掉。所以接下来,我们会检查多年来,可能是数十年来,自己死守的一些旧习惯或旧观念,让我们的步调变慢,有时甚至让我们完全停顿下来。**丢掉实体杂物之后,我们接着要整理情绪;抛开情绪杂物之后,接着要清理心灵。**我们需要生命中的这两个重要部分正常发挥功能,才能够进入生命中下一个同时也是最棒的阶段。所以,请准备好进行"真正的大扫除"。

我们来复习一下"丢弃规则",运用它们来清除情绪杂物。

第一,任何事物,不管是看法或信念、回忆、工作甚至是人,只要让你心情沉重、阻碍你,或让你对自己反感,就扔掉或放下,继续前进。

第二,如果这些事情只是摆在那里,占据宝贵的心灵空间,阻塞重要的情绪要道,对你的生命毫无正面贡献,那就扔掉或放下,继续前进。因为不进则退,丢掉负面的情绪,可以帮你重新发现(并腾出空间给)正面的事物。

第三，无论要丢弃还是保留，都不要让决定变得很困难。如果你得花很长的时间权衡利弊，或是烦恼不知该如何是好，那就扔掉！

第四，你要记住：不要害怕，我们讨论的是你的人生，这是你千真万确"唯一"拥有的东西，你唯一拥有的东西不能浪费在情绪或心灵杂物上头。

拿出纸笔或是你的"丢弃50样东西"笔记本，因为现在最重要的事，就是写下你准备丢弃的东西，就是现在。你可能没办法拿真的垃圾袋来装你的旧观念，慈善机构对它们可能不感兴趣，拿去 eBay 拍卖也标不了好价钱，但是对你而言，抛开它们的价值是难以估算的。

这么说吧，我们可以判断留下旧地毯、灯座或瓷器给子女的利与弊，但是要决定陈年的负面解读、恐惧、悔恨等的去留可是另一回事，我是说，**我们真的想要将这些情绪杂物传给我们最爱的人吗？**（我们确实会把我们的行为和思考模式传递出去，是吧？）有哪一个标价拍卖会或车库拍卖会，会在桌子上的立卡写着"半价出售过去的不安、恐惧、过错和懊悔！趁热抢购"？恐怕不太多。不过如果你再想想，会发现这个点子不错。因为如果你把它们写下来，然后放下，它们就结束了。

所以，何不在举行车库拍卖或标价拍卖会时，提供纸笔和一个大碗，邀请参与者写下他们想要扔掉的情绪杂物，全都丢进碗里？等拍卖会结束后，你可以用那些纸片升起小小的营火，庆祝心灵和情绪垃圾从每一个人的生命中消失。你觉得如何？那可能会让你的车库拍卖会成为当季最为人所称道和最重要的活动。而且，这招对莎莉很管用。

还有，听着，好消息是，你丢掉的每一样情绪杂物都算数，如果你扔掉15样，那就是15样，没有重复性的问题需要担心。所以，开始用力丢吧！

"变得够好"是毫无意义的

跟别人比较,多半只会得到凸显自己短处的结果。

这是着手丢弃情绪杂物的好起点,因为我们当中,有谁不曾(就像现在)觉得自己不够好? 我可以很肯定地告诉你,在我接触的人当中,从游民收容所里的女人到企业首席执行官,从大学生到大学校长,从超级大富豪到成天为人不敷出烦恼的贩夫走卒,没有例外,每一个人都有这种感觉。

这让你觉得惊讶吗? 你觉得你是唯一搞不清楚自己是怎么得到目前所拥有一切的人吗? 究竟要怎么做,才能够进一步往前迈进? 欢迎来到完美的了不起俱乐部。事实上,我会说,到目前为止我所知道的一流人物,都曾在某个月、某个星期或某一天,冒出自己有相当多不足之处的念头。我所谓的一流人物,是指像阁下这样,努力在这个世界发挥正面影响力,想将最好的自我带进自己设想好的未来的人。

我要改变你这种想法。你、我，我们之中任何一人，远比我们所想象的更好更强大，对这个世界的运转更不可或缺。有句话说"没有人是不可取代的"，但我相信没有人是可以被取代的。只要我们愿意这么想，那不论参与什么行动，只要努力投入，就能对行动的正面结果发挥重大影响力。为什么我们对自己就是会有这样的盲点呢？我可以很明确地告诉你，**要等到我们对自己清楚认识之后，其他人才会了解我们的重要性。**很有趣吧？但事实就是如此。

你是不是告诉过自己，"因为我并非事事都懂，所以我懂得不够多"？"并非事事都懂"和"懂得不够多"很明显是两回事，不能混为一谈，不是吗？我想很少有人比绝顶聪明的爱因斯坦更清楚这一点，如果爱因斯坦认定，因为他不可能事事都知道，所以试着了解万事万物是毫无意义的，你能想象现在的物理世界会如何吗？爱因斯坦在某些事情上非常敏锐，例如他能看出新的模式，将不同的点连成合理、可行的整体。但也有一些事情他是完全束手无策的。据说他坐公交车的时候，都会直接拿一把零钱给公交车司机，请司机算一下要拿多少车资，因为他自己算不出来。

好吧，我不是爱因斯坦。(嗯，也许就某种事情来说，我是。谁知道呢)但我可以理解零钱的事，不过重点在于：他全神贯注在自己能力所及的事情上，而且将所有的精力投注在这些事情上。他不允许自己的精力耗费在他做不到、不了解、觉得困难或是不感兴趣的事情上。

大多数人不会这么做。**我们不会聚焦在我们能提供什么，而是放在我们缺少什么，难怪我们会觉得力不从心。**不要这样。这种想法会莫名其妙地浪费掉我们的精力，甚至浪费宝贵的心智资源，这些资源本来可以拿来创造出下一个"相对论"的。所以，每当"我所知不足，无法贡献一己之力"的声音在你脑海中出现,让它安静下来……然后扔掉。

下面的故事,可以让你彻底了解这一点。有个以前跟我一起上学、非常可爱的女孩,她真的很有创意。她的名字是奥莉维亚,是我认识的人当中最擅长音乐的人,不但弹得一手好钢琴,还会作曲。她还是一位杰出的艺术家,画的素描和油画都很精美,让我这个门外汉想起法国的印象画派。奥莉维亚的母亲以她女儿的才华为傲。但是有一次,她看完奥莉维亚的画作后,可能是出于好意而批评:"亲爱的,画得很棒,但你绝不可能成为莫奈的。"

奥莉维亚从此放下画笔,数十年没有再作画。她对母亲的话的解读是,如果她无法像莫奈一样杰出,再画也没有用。当时她没有想到,她可能注定要成为另一种画家,她可以发展自己的风格,甚至开创自己的画派。她没有想到,即使她的作品绝不会在卢浮宫或大都会博物馆展出,但光是绘画的过程,就可以带给她喜悦;又或许,其他人光是欣赏这些画,也会觉得开心。

还好,奥莉维亚长大后终于了解,**"变得够好"是毫无意义、也无关紧要的概念**。"为了什么而够好?"她终于问,"为了谁?"为了她母亲的赞许?如果大部分人都要等到最后的认可,才要在人生中向前继续迈进,最后可能会发现,当枪声响起时,自己还卡在起跑点。不要再用"和……一样好"(as good as)这个短语了,把它扔掉。当我们努力这么做,我们就是在抛开一个持续进行而且经常让人无法抗拒的倾向:一定要和别人比较的倾向。

最近,吉姆和我一起参加一场宴会,开车回家时,我问他:"我在宴会上看起来如何?"他说:"很美啊。"我继续说:"不,我要听真话,凯伦看起来比较年轻吧?她的手臂线条很美。我的意思是,说真的,我看起来如何？"你应该已经发现，吉姆是个有耐性的好人，而且长年遭此折磨。他完全被女人包围住，就连我们家的狗薇拉，也常常需要别人赞美它是好女孩。因此，他叹了一口气后回答说："真的，你看起来很美，我是说尤其是你的手臂也很美。是真的。"

真荒谬，对不对？应该要丢掉这种比较心态了。**我们从小就跟人比较，而且在比较过程中，多半都只得到凸显自己短处的结果。**我记得我12岁从某个小型派对回家时，我祖母说："你看到比起自己，你更喜欢的人吗？"我用属于我那个年纪的认真态度回答："有，玛格丽特比较聪明，伊娜比较漂亮，苏西比我高。"我祖母说，她只是开开玩笑，这个问题只是一个老爱尔兰式的表达方式，不用认真看待。我说："噢，反正她们是比我厉害。"

你上次落入比较陷阱是什么时候？上礼拜？昨天晚上？这种习惯令人筋疲力尽，应该列入丢弃物清单，现在就列上去，这会是我们每天都必须专心对付的事情之一。要用这种不讨好的角度跟人比较，机会多得是。我们看到的每一本杂志、每一个电视广告，几乎都在诱惑我们检查一下，我们跟别人比起来如何？从收入、学历、健康、身材、我们的房子、子女，到度假、饮食、衣着和车子，无所不比。难怪我们都上了它的当。但是该停下来了，就从今天开始停止。

每天早上检查这项声明：我不会跟别人比较，别人也不会跟我比较。我会对自己的贡献作出正确评价，也能欣赏别人贡献的心力。

重点不在于我是不是爱因斯坦或莫奈，甚至高贵辣妹维多利亚·贝克汉姆，重点在于，我是活生生的人，而且我有宝贵的天赋可以贡献，也有宝贵的时间可以付出,所以我现在就要努力贡献一己之力,就是这样。

你现在想到有什么真的很难很难抛开的事情吗?我想到了,而且我要一吐为快。

我在前面提过我哥哥杰,那时我说,他的画作尘封在我的车库多年后才被拆封。你应该还记得,我上大四的时候,我们家失去了执行海军任务的杰,他的战机坠入地中海时,年仅24四岁。我们家人的感情非常好,杰不只是我的英雄,也是我的挚友,我愿意拿我的性命来换取他的性命……

有很长一段时间,我一直都很生气,因为我没有机会这么做。我一直认为我们之中如果有人不能自然走到生命尽头,那个人应该是我。不是我低估自己,而是我非常重视杰;不是我觉得自己不能对社会有所贡献,只是我一直觉得他的贡献会比我大得多。而现在,正当我在撰写这些文字之际,我突然觉得,我应该丢掉把我自己和哥哥相提并论的想法,而且在经过这么多年后,我也得放下那种恨不得拿自己生命来换回哥哥的愤怒,这一点很难做到,但是时候到了,所以我会试着这样做。

如果你有一些累积至今依然困扰着你、让你觉得不胜负荷和心情沉重的缺憾,现在是放下的时候了。你可以做到,我们可以一起行动。

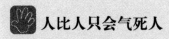

人比人只会气死人

❶丢掉"没有人是不可取代的"的旧观念。没有人是可以取代的。每个人都有他的价值。不论你能贡献什么,都非常宝贵。抓住每一个可以贡献一己之力的机会。

❷丢掉"你必须知道或擅长一切"的想法。赞扬你知道的,享受你能做的,记住爱因斯坦的故事。

❸不要落入以下的思维陷阱:想要有大作为,你必须在重大时刻才能成功。世上(或是你居住的地方)最重要的贡献中,有很多是由不起眼的人完成的,他们的作品从未在卢浮宫展示、从未在"美国偶像"(American Idol)中出现,也从未接受名主持人赖利·金(Larry King)的访问。

❹不要跟别人比较。这么做既幼稚且毫无意义。你是你,他们是他们。让别人扮演他们想扮演的角色,做他们想做的事。看到别人的成就或好运要感到高兴,这样他们也会为你的成就或好运感到高兴。最重要的是,你要满意现在的你,而且高兴你有机会将自己独一无二的天赋贡献给这个世界。

〈我的丢弃物清单〉

　　·我要丢掉比较心态,不再把我对社会的贡献和假设我哥哥在世可能会有的贡献拿来比较。

....

总数:1样东西

累积总数:42样东西

〈你的丢弃物清单〉

....

总数:

累积总数:

别说"我是××型"

记住，要等到你写下来，才算数。

有些人告诉过我，他们不是那种想做什么就做什么或是用自己喜欢的方式行动的人。真希望我有一块钱甚至一毛钱来可怜这些人。例如，你是否说过以下这类的话："我不是那种会和陌生人主动攀谈并且自我介绍的人。我这人一向就很怕生。"我们所有的人都会像背诵《圣经》里的福音一样，以决绝的口吻说出这类的话，彷彿情况就是如此，没有回旋的余地了。几乎每天我们都会听到"就这样了"这类的话。

我很怀疑事情是不是"非得这样不可"。你看过《雄霸天下》(Becket)这部电影吗？理查·波顿(Richard Burton)所饰演的坎特伯里大主教贝克特(Thomas Becket)遇刺，后来在英王亨利二世的谕示下被封为圣徒。饰演亨利二世的是我最喜欢的演员彼得·奥图(Peter O'Toole)。有一幕让我印象非常深刻的场景,是贝克特大主教和亨利二世骑着马在一个海滩上碰面。这是他们最后一次对话,英王亨利二世正在向贝克特大主教解释,为何在所有的事情中,包括与英国国教圣公会以及大体上一切的宗教事务,英国皇室的权威不容挑战与质疑。亨利二世说:"你没看到吗?贝克特,这可是白纸黑字,写得清清楚楚。"贝克特手指着自己的太阳穴,回答说:"不,要等到它写在这里,才算数。"

这是这部电影的关键时刻,它巧妙地呈现出这两人互相对立的根本差异,一个人认为"事情就是这样",另一个人认为,只有独立的个人能够决定事情是怎么样。我赞成贝克特的看法。我相信,在任何时候,我们都可以决定自己要扮演什么角色、站在怎样的立场、能够做什么以及呈现出怎样的个人风格。这就表示,在任何时候,只要过去的样子不可行,我们就可以抛开它。

但事实上,我们很小就开始自己(不然就是别人)为自己设限了。

我的母亲给过我一些世上最好也最大胆的建议,但她也认定我是个贴着"散漫"标签的小女生。这一点也无损她成为一位伟大和明智的母亲,只是让她更符合人性一点。相信我,**对所有的人而言,"设限"这种事始终存在,我们为自己设限,也为自己的子女设限**。前几天,我还对着阿比盖尔说,她是个"创意型"的人。在这个年代,有创意是件好事,对吧?而且她确实很有创意,但是她不属于哪种类型。一旦我认定她是哪种类型的人,就会让她以为,我认为她不属于其他类型,例如行动派、逻辑型、务实型以及,呃,有条不紊型。这样就大错特错了。

但如果她自己作出此番推论,并且相信了,她就会觉得那是真的(别担心,她没有这样想,她对我所说的话大多持怀疑态度,她的乐观让她往往尽可能正面诠释事情。尽管如此,多注意一下自己讲的话还是一件好事)。

但是我敢断定,如果我现在问你,你是哪种人,你会轻易就告诉我。好啦,我问了,而且我听到你说:"我是右脑型的人""我是心思细腻型的人""我是数学很差的那种人"或"我就是没有运动细胞"。或者,就像佩姬最近宣布的:"盖尔,我不是晨型人,我讨厌早起,而且要到下午脑袋才会开始运作。"你可以想见,这个女人现在在工作上不太顺,因为她老板是起得很早的晨型人,不太能包容佩姬跟以往一样上班姗姗来迟。

我问她:"那你第一次发现自己不是晨型人是什么时候?"佩姬说:"噢,我一向都很清楚这点。"我说:"那今天我们要为你建构一个新类型。今天我们要决定(我真喜欢"决定"这个词),你要成为精力充沛、喜欢早起的人,我们今天就宣布,你可以成为任何你想要成为的类型,你是唯一能够决定此事的人,除非你自己写下来(纸上以及脑海),否则都不算数。你了解了吗?"

佩姬说:"嗯,但是我早上昏昏欲睡、精神不振的情况怎么办?"我说:"不好意思,你已经不是那种类型的人了。你要跟它说再见,它不适合你,你要抛弃它。"你觉得这听起来像是我一厢情愿吗?不,事实上,佩姬接受了她的新类型,并且能充分扮演好这个角色。我父亲总是告诉我,要"用你想要感受的方式去做",那就是佩姬所做的,瞧,她已经变成早起的人了。

我不是说,佩姬不必努力抛开她的类型,她在做。旧心态一定很难破除(你知道,当我走进我的衣帽间,里面到处都是东西,我必须做的,不是对自己说,"看,盖尔,你一点也不像你妈妈那么有条有理",而是开始整理东西)。但是有一件事激励了佩姬:她学到,她不必再受制于她多年来扮演的角色,而且很快就体悟到,如果她以充分的信念来扮演那个早上起不了床的角色,她就会说服自己和其他人,她真的起不来。

我们花点时间谈谈信念和角色扮演。我认识一个主修戏剧的年轻女性,名叫泰莉,有一次研讨,她被分派到的任务是从莎士比亚的戏剧中挑出一场独白在课堂表演。泰莉选择《罗密欧与朱丽叶》(Romeo and Juliet)最后一幕爱情戏。导演对于让泰莉扮演朱丽叶,感到压力很大。他可能觉得,她体型不对,她身材矮胖,再怎么看,都不是任何一种你心目中的美女典型。但是泰莉有一些比起外在更重要的特点,她有信心,相信自己是朱丽叶,没有丝毫怀疑。她认为自己美丽、有魅力、天真无邪,绝对值得罗密欧爱慕。结果她演的朱丽叶令全班惊艳,当她演完时,全体起立鼓掌。她可以传授给我们的心得是:**没有所谓的"事情就是这样",只有"我说是这样,那就是这样"。**如果你说了,而且全心全意演出,观众会照单全收,包括最难应付的观众——就是你自己。

现在,如果我们选择,我们可以丢掉旧类型,创造全新的类型,我们随时都有能力将自己重新塑造成适合自己而非毁掉自己的类型,我们只需伸手抓住这种能力,好好运用即可。

你是不是在想:"噢,是吗?盖尔。第一,我不是演员;第二,我数十年来一直都是现在这个样子,不是临时提供的短期课程可以改变的。算了吧你!"好,我了解你的感受,但我了解的与你有所不同。我知道,只要你用你想要感受的方式去做,最终你会觉得自己就是那样,更重要的是,你会变成那个样子。以下这个故事可以证明我的说法。

几年前,我为一群妇女举办研讨会,这些妇女住在纽约郊区的游民收容所,她们全都只有二十来岁,有些已经有小孩,但大多都是未婚生子;即使结了婚,也很少见到她们的丈夫,因为他们全在狱中。她们没有工作、没有希望,而且相信她们的一生"就是这样了"。

当中有个与会者名叫赛连娜,看起来特别阴郁愤怒,她一屁股坐到椅子上,看都不看研讨会主持人一眼,也不发言。她穿着男装,将帽子拉下来遮住眼睛。赛连娜和研讨会里所有的女生,几乎都是暴力和肢体虐待的长期受害者。

到了研讨会第二天,多数妇女稍微松懈心防,开始大声发言,甚至彼此交谈,这是她们在收容所中都不曾做过的事。最后,赛连娜也开始加入我们的对话。我们谈到自卫的必要性,拒绝认定虐待和暴力是生活中必然的部分。赛连娜说:"你不了解,盖尔,我是那种注定会被虐待的类型,如果我跟另一个男人在一起,他也会虐待我,这就是为什么这种事会发生在我身上的原因,将来也是。"不只她一个人有这种想法,大部分女性都点着头,"情况就是那样。"我问:"谁说的?哪本书上写着'情况就是这样'?在《圣经》里吗?在教科书里吗?还是在《美国宪法》里?在哪里?指给我看!"

你可以想见,要进行更多对话、更多心灵探索,还得让这群很棒的女性流下不少泪水,才能凿开她们生命中的大理石,放弃听天由命的态度,甚至考虑,她们或许可以为自己创造不同的现实情况。

对赛连娜而言,这些对话简直创造了奇迹,研讨会结束时,她重新定位自己,将自己的定位从注定会被另一半虐待的女人,改变成强势、勇敢和具有力量的女人……根据自己的信念决定和策划自己人生的女人以及宣称她六个月内会离开收容所、找到工作、能独力照料孩子的女人。赛连娜向研讨会所有参与者宣布时,她站起身,脱下帽子,直视每一个人,然后清楚地说出来,满屋子人哭得稀里哗啦的。

五个月后,我办公室里的电话响起,有个女人的声音说:"布兰克小姐,你不认识我,但是我办公室里有个名叫赛连娜的女士,我刚雇用了她,她说我得打通电话给你,告诉你她提早一个月实现了对你的承诺。"我说:"我想你指的是她对自己的承诺。我知道她会信守承诺。"几周后,赛连娜意外造访,出现在我的办公室里,她穿着一件很好看的洋装,头发梳得漂漂亮亮,抬头挺胸,而且面带微笑。我心想,自豪的人看来就像那样吧!办公室里每个人都起立鼓掌。

不是你的类型?

以下列出一些别人告诉我,他们属于或不属于的类型。看看这份清单,自问是否已经陷入这类陷阱。顺带一提,你可以增加项目到清单中,然后决定你准备抛开哪些类型。你应该能够想出至少两三项或许更多项,然后将它们加进你的情绪丢弃物清单中,加油!

- 我不是那种积极进取的人。
- 我不适合做业务。
- 我不适合坐办公室。
- 我不是创业型的人。
- 我当不了政治人物。
- 我不是行动派的人。
- 我不是创意型的人。
- 我不是那种会积极与人攀谈的人(有九成客户也这么说)。
- 我不是运动型的人。
- 我不适合穿网袜(昨天才有人这样跟我说)。

- 我很害羞。
- 我是敏感型的人。
- 我是谨慎型的人。
- 我就是瘦不下来。
- 我就是戒不了烟。
- 我生性严肃。
- 我是缺乏竞争力的那类人。
- 我是沉闷型的人。
- 我是慢条斯理型的人。
- 我永远只看事情的黑暗面。
- 总有一天我会毁了我自己(我每周至少会听到一次这种话)。

如果赛连娜可以对自己重新定位,想象一下你可以怎么做。

放开老旧式的思考,永远放开,好吗?你随时可以重新定位自己,只有你自己可以决定和设计你自己的角色、专长,甚至别人对你的看法。

 丢掉你自认为(或不认为)的类型

❶拟好清单,列出你认为自己是哪种类型的人。这些类型是你或别人想出来的,你因此觉得自己在某方面不够格,而且你认定那是事实,比方说,喋喋不休型、数学不突出型或是悲观型之类的字眼,会突然冒出来。将这些字句一个字一个字地划掉,然后将它们列入情绪丢弃物清单中。

❷写上你想要成为的类型。比方说自信、迷人或魅力无法抵挡的类型,表现得好像你是那些类型的人。

❸写一些关于你自己并且令你愉悦的故事,或是利用别人所写、而你也喜欢的故事加以美化。把自己想成那个人。事实上,你就是那个人。

❹记住,要等到你写下来,才算数。

〈我的丢弃物清单〉

·我会抛开一个想法:认定自己是散漫型的人。

总数:1 样东西

累积总数:43 样东西

〈你的丢弃物清单〉

总数:

累积总数:

过错要认，别说"早知道……"

不害怕失败，是成功的唯一途径。

曾经有人问歌手吉米·杜兰顿(Jimmy Durante)，他是否曾经后悔过什么，据说他回答："多得数不清，但幸好我一个都不记得了。"

我们全都该这么幸运，但是大部分人记得的都不是好事，而是懊悔、但愿自己没做过的事情，念念不忘自己犯下的"过失"。事实上，我们不只是在意，不只在午夜梦回时继续咀嚼，我们还用最新的高科技为它们漆上鲜明的颜色，然后用奥运掷铁饼选手的决心和热情，将它们猛力掷回自己身上。

难道说只有我会这样？不，不可能只有我，如果只有我这样，我们的文明应该会更进步，应该早就可以解决全球饥荒，创造世界和平，发现我们一直在寻找的其他生命形态，对吧？但是当我们因为满脑子装满过去搞砸的事情而动弹不得时，我们很难成为真正出色甚至聪明绝顶的人，更别提全心投入真正有价值或能实现个人抱负的目标中了。

我最近认识一位名叫海蒂的人，她告诉我，她一直很害怕失败，所以在人生和职业中，她只愿意尝试确定会成功的事情。"你可以想见，到目前为止，我的阅历多么有限。"她干笑了一声说。我想，你也可以说海蒂很幸运，因为她有点像吉米·杜兰顿（但是原因不同），没有什么重大挫败好遗憾的。但同时，她也没有什么惊人的成就。不过，她还是对一件事感到遗憾：她没有鞭策自己再大胆一点，没有（至少到目前没有）经历过为某件事、为自己心爱的某人甘冒一切风险所带来的刺激。

别担心，海蒂准备改变这种情况，她已经决定马上展开行动；她要抛开"有把握成功才敢去做"的需求，尝试一些在人生中从未试过、风险较高的事情。事实上，她承诺先提出一份清单，列出在六个月内犯下的失败和错误。除此之外，我敢保证，她也会有一些精彩的成功事迹可以向大家报告。

重点是：你想成为第一流的人物，就要能承受重大挫败。如同《阿甘正传》（Forrest Gump）电影里的阿甘所说的，成功与失败像豌豆和胡萝卜丁一样形影不离，这一点大家心知肚明。那为什么我们搞砸事情的时候，还是这么沮丧？我想有两个原因：第一，我们有个根深蒂固的观念，认为我们必须完美、无懈可击，避免任何批评或责备；第二，我们会把失败和错误的责任揽在自己身上。

好吧，不是每个人都这样，迈克尔·乔丹（Michael Jordan）就不会。他说："我在NBA生涯中错失了九千多球，输了近二百场比赛，其中有二十六场比赛，我必须投出决定比赛胜负的一球……结果没投进。我一生中一而再、再而三地失败，这就是我成功的秘诀。"这故事值得记住，对不对？

你知道居里夫人为了从沥青铀矿石（pitchblende）提炼出镭，实验几次才成功吗？好几百次。她提炼了大量的沥青铀矿石，最后只能提炼出少得可怜的镭，她因为这样而沮丧过吗？可能会。但她认为自己输了吗？并没有，她只是继续做实验，继续尝试，继续相信。最后，她成功了。

你能想象歌舞之王弗雷德·阿斯泰尔(Fred Astaire)生平参加过多少部电影的选角活动后，听过多少次"下一个"这样可怕的字眼吗？多到难以估算。你听说过吗，米高梅电影公司(MGM)选角经理在看过阿斯泰尔的试演后在纸条上写下评语："不会唱歌，只会跳一点舞。"真糟！

但是他继续努力——继续唱歌，继续跳舞。当一大堆人说他没有什么天分时，他要花多少心力才能登台演出？他也必须对表演保持满腔的热情。对某件事充满热情，对最终成果(不论结果如何)充满热情，那么，即使在最令人气馁的时刻，你也能够克服一切。

我们全都曾搞砸过什么事情，都在午夜梦回之际追悔过什么(甚至不是一会儿，而是追悔了几小时)，责怪自己没有了解得更清楚，没有预见局势的演变，没有更加努力，没有为自己说话——或者，偏偏就这一次没有保持缄默。我们自责不够完美。

但是完美主义就像殉难者，得到的评价总是被高估。看看你最喜欢、最欣赏或是最想亲近的人，他们完美吗？我很怀疑。

我敢说他们虽有缺点，但瑕不掩瑜。他们能感动你，是因为他们暴露缺点，但设法弥补，即使是曾经严重失误的人，也可以赢得我们的尊重，最后得到我们的原谅，甚至得到我们的爱。

我认识一个名叫杰克的人，他因为收受供应商的贿赂，不仅被解雇，还被直接请出公司大楼。这件事并非人尽皆知，但是消息仍然渐渐在杰克所处的业界传开，最后传到杰克的朋友圈里。杰克身心交瘁，觉得自己的前途和名誉都被毁了。我认识他是在这件事发生将近九个月后，他当时还是非常懊恼。"我不知道当时我在想什么。"杰克告诉我,"我想我的问题就是没想太多。"我必须说,杰克不像是会说谎、偷窃甚至舞弊的人,一点都不像,他于公于私,一向都光明正大,无可非议。他太太维琪告诉我:"他甚至从未不实申报所得税,拜托,他在高中时可是鹰级童子军(Eagle Scout)呢!"那么好的人怎么会陷入那种麻烦呢?答案是:容易得很。

事情是这样的:杰克负责为公司高级主管安排应酬性的旅游行程,平日都会接洽专门提供最佳飞机票价和一流住房的旅行社,杰克在这些旅游上的预算是数十万美元。有一次,杰克多年来固定往来的一位旅行社负责人说,他和妻子即将前往非洲进行一趟狩猎旅行,还将担任另一位客户的向导。他建议杰克夫妇应该加入,因为他们是多年好友,此行的费用他们只要出住宿费用(大概一万五千美元),其他部分就不用算了。杰克接受了这项提议,两对夫妇踏上千载难逢的旅程,而且还有照片为证。拜这次同游经验所赐,杰克夫妇再度感受到刚结婚时的那种亲密。

"你知道,我内心深处知道这样做是不对的,"杰克说,"但好像也没错到很离谱的程度。我想当时,这件事看来没什么。"杰克眼泪几乎夺眶而出。我们有多少人做过在内心深处隐约觉得不太对的事情?而且从某种角度看,那件事看起来好像没有什么大不了的。说真的,如果你仔细思考,大多数人都犯过一些小恶,做过自知不太对的事情,如同我祖母常说的:"陷入麻烦很容易,摆脱麻烦可就难了。"

"好,听着,"我说,"不论现在情况如何,这都不是世界末日,你做错了吗?当然。你伤害到任何人吗?幸好没有。你的过错完全无法弥补吗?不尽然。接下来该做的事是什么,你知道吗?准备好扔掉50样东西。"

你可以想象杰克的反应。"很抱歉,盖尔,但那样做会有什么用?"他问道。"我的朋友,你会看见的。"我回答。我请杰克检查他家里每一间房

116

间和他的家庭办公室,扔掉对他不再有用的一切东西,仔细遵守本书一开始提到的"丢弃规则"。

杰克就像一个优秀的鹰级童子军①,尽职地完成任务,连他自己都很惊讶,他这几年累积了这么多杂物。他太忙于工作,一直没有时间处理掉他十年来都没再穿过的衣服、不再感兴趣的书籍和光碟,还有一瓶被解雇那天擦的香水。

当他翻出他和维琪到非洲进行狩猎旅行的相簿时,照片看起来,这似乎就是他们最后的快乐时光了。他说,他叫维琪进来看照片时,硬是把眼泪吞回去。"我们没有把这些照片扔掉,"他一边说,一边用手臂搂住她,"而且,我还打算去买相框裱起来,这是过去美好的时光。"

这个举动标志着杰克的转折点。他决定保留照片,庆祝他和维琪共度的美好时光。他终于得以抛开将近一年来因为犯错而萌生的罪恶感。一旦他能够放下罪恶感,就可以放下错误本身。噢,他并不是要完全开脱自己的责任。他当然觉得当初不应该那么做,但是木已成舟,现在是开始向前迈进的时候了。

在维琪的协助下,杰克列了一张清单,内容是到目前为止他做过的一切好事;还有一张清单,列出他后悔或"但愿当初不是这么做"的事情,他把好事清单放进皮夹,把憾事清单撕毁扔掉。现在他自由了,可以重新定位自己为事业有成、勤奋可靠,有时得付出极大代价才能学到教训的高级主管。

但是他确实已经学到教训。

杰克创办了一家高级主管咨询顾问公司,协助充满潜力的高级主管为高风险的角色做好准备,课程中有一门相当重要的课,猜猜看是什么?

---

① 美国童子军分成初、中、高、星、生命、鹰共计六级。鹰是最高一级。

伦理。你应该不会惊讶,杰克的课程相当热门。

你何不仿效杰克列张类似的清单?反正没有什么损失。将好事清单加进你的保留物件清单,将憾事清单加进丢弃物清单。

最近金融业流传着一个很棒的故事:有个年轻的投资银行家一心一意要让老板刮目相看,却作出一个让公司损失千万美元的错误决定,这位年轻人向老板报告自己的疏失时说:"我相信你会开除我,我只是要让你知道,我不怪你。""开除你?"老板大叫,"我为什么要开除你?我才刚花了上千万元训练你。"

再说一个关于错误的故事。我犯过很多错,这个错误是其中之一,这个故事只是要告诉你:犯错,从错误中学习,并且抛开错误,多小开始都不嫌早。

我九年级上到一半时,我们家从克里夫兰搬到托雷多。这让我有点受伤,不只是因为我在新学校没有半个认识的人,也因为新学校的课程比之前学校提供的课程更艰深。尤其是拉丁文,虽然新学校和旧学校用的教科书一样,但是课程进度超前很多。塞格小姐是拉丁文老师,也是学校主任,作风强悍严厉,全班同学都很敬畏她。她每周三都会小考。

我很用功,过去几次考试成绩都不太好,这让我愈来愈紧张。有一次小考,我又有不会的生字,我偷瞄了一下旁边女生的考卷,然后做了一件匪夷所思的事:我抄了她的答案。我交了卷,那是当天最后一堂课,所以我考完就回家了。

回到家时,我失魂落魄,一看到妈妈就开始哭,而且是大哭特哭。"我犯了一个很大的错,"我边哭边说,"我拉丁文考试作弊。"我妈妈搂住我,让我哭了一会儿,然后用她一贯的高明方式说:"你觉得应该要怎么处理?"

"我最好明天一进教室就告诉塞格小姐,"我说。"听起来是个很好的决定,"

我妈妈说,"现在不要再想了,明天早上再说,好吗?"我说好。结果毫不令人意外,当晚我一觉睡到天亮。暂时搁置忏悔的事情,最能够让小女生卸下心中重担。

隔天早上,我第一件事就是到塞格小姐办公室坦承我所做的事。她看着我的考卷说:"嗯,你抄了哪一个字?"我指着我抄的字说:"这一个。"她说:"你还是写错了。"我忍住眼泪说:"我真的很抱歉。"塞格小姐说:"我知道,但是我必须把你这次小考打上不及格。太可惜了,你小考成绩本来不会那么糟的。但是我要告诉你一件事,盖尔,"她继续说,"从现在起,我知道,你们班所有的人当中,有一个人以后绝对、绝对不会作弊,就是你。"结果那天成了我一生当中最好的一天。

 如何追求完美,而非做到完美

❶记住,你一定要不怕失败,那是唯一的成功之道。

❷无懈可击的状况不会一直降临,有些投手能够完封一场球赛,但没有人能完封一个球季。扔掉完美吧!

❸别认为失败都是自己造成的。如果有事情行不通,就重新调整,试试另一种做法。

❹如果把所有的精力全都花在重新经历行不通的事情、本来应该或不应该做的事或说的话,你就没有余力寻找新的做法。抛开那些事情吧!在你的清单上,那应该值十样东西。

〈我的丢弃物清单〉

· 我会抛开微不足道但令人讨厌
的一项遗憾:我没有成为女演员。

总数:1 样东西

累积总数:44 样东西

〈你的丢弃物清单〉

总数:

累积总数:

理直气壮会毁了你

你想要成为对的一方？还是想要快乐？

我觉得我们运气来了。我跟你说：一旦你放下所有情绪杂物，就没有任何障碍能够阻挡你。但如果你还需要有人推你一把，我保证，本章绝对可以派上用场。

我共事过的每一个人，多多少少都有一点得理不饶人的症状，你知道我在说什么，你可能也有同样的问题。下面的方法可以判断你是否是这种人：过去24小时，你是否曾经对别人或对自己大声说出类似以下这种句子："你的意思是这架飞机一个半钟头内都不会起飞，而你不知道出了什么事？你知不知道我得赶去开一场很重要的会议？怎么可以这样！"或是"为什么他老是记不住我的咖啡要加牛奶？都已经这么多年了，在搞什么？"或者"老兄，我们比那群人早到，应该先帮我们带位吧！你知道我们等多久了吗？这样是不对的。"（这下可逮到那家伙了，是吧？）

很难避免去怪罪某人或某件事情错得有多离谱，这是几乎每人每天都会掉入的陷阱。有些事情，你的认知可能是正确的。比方说，老板不该忽视你一整年的努力打拼，只给你微薄的奖金；你弟媳不该连续四年都送你尺寸不合的毛衣当做生日礼物；你女儿不该等别人喊她三次才去清理厨房。然而，即便你是对的，而且很多人都会站在你这边，你们甚至可以凑在一起，高谈阔论别人的种种不是，但是接下来呢？你的人生要浪费在这些事情上吗？

去年春天，一个连续假期快来临时，我和一位朋友闲聊要如何度过假期。我才刚出差回来，这趟出差的行程非常紧凑，让我非常期待接下来和老公、女儿聚在一起，从事我们最爱的活动：一起煮东西、吃东西，吃东西、煮东西，边聊边讨论食物有多么美味。但是我朋友的想法完全不同，她展现了最差的"理直气壮"典范。她说："我告诉你我先生准备要做的事，他以为他能跟朋友去打高尔夫球，但他必须趁着放假把外头的圣诞彩灯拿下来收回屋内。你知道我跟他讲了多少次，早就该把彩灯拿下来了吗？拜托，现在都快要夏天了！真是受够了。"

"是啊。"我说。

"当然。"她立即搭腔，"真是太荒谬了。"

"我知道。"我迟疑地说，"但我不太懂……"

"不懂什么？"她看来真的很恼怒。

"我只是不懂你想要拥有什么样的周末。"

"你是指什么？"她的口气听起来很疑惑。

"我不知道，也许你期望的是两人共度温馨、浪漫的周末，我是说，孩子们会去朋友家，对吧？我只是觉得……"

"你说吧，没有关系。"她说。

"听着，"我告诉她，"你可以继续念叨，指责他早就该把那些该死的圣诞彩灯拿下来，或是希望两人共度真正愉快的周末。但你不能两个都想要。照我的经验来看，**爱抱怨生气的人通常得不到浪漫的结果**。"

她想了想，说："嗯，不过那些彩灯怎么办？我真的受够那些东西了。"

"那就看你比较想要哪一种周末啰。"我回答。

最后，我朋友选择和老公共度浪漫的周末，而且因为她努力营造愉快的气氛，那个周末真的过得很愉快。猜猜看后来彩灯怎么了？她丈夫不用人催，就自动自发地把圣诞彩灯拿下来了（他也没有去打高尔夫球）。

可惜呀！**理直气壮通常无法取悦别人**，而且，它通常会控制你的生活。在情绪丢弃物清单上，"理直气壮"肯定高居榜首。下面的例子将说明理直气壮如何差点毁掉一个女人的一生。

萝伦是个相当成功的女性，也是个得理不饶人的惯犯，总是嚷着"以她丈夫的年纪，应该赚更多钱"、她的小女儿"现在"应该学会走路了，她还觉得公司不该每年只给她小幅调薪、她的部属太无能。萝伦某些指控可能是正确的，但是她太难相处，她丈夫已经离家数月，而且差不多已经打算要永远离开她；她的女儿很少笑；她部门流动率太高，使她失去一次很好的晋升机会。萝伦束手无策，终于跑来问我，她做错了什么？

"没有补救不了的事，"我告诉她。"那接下来我该怎么做？"她问道。"你只需要放下一样东西，一样我们都得放下的东西，就是得理不饶人的态度。"

"好，但是要怎么做？"她问道，"那已经像是我生命中的一部分了，你知道吧？"

我告诉萝伦，每当她觉得必须直言批评某人或某事时，就要按下暂停键。

"只要花少许时间问问自己：我的目标是什么？我的目标是要去想我女儿在成长过程可能会落后多少？或者我可以致力于更重要的事,例如为她营造温暖正面的环境,让她能够在自信乐观中成长？我要努力思考部属要做多少工作才够,还是致力于创造积极乐观的工作场所,让底下的人每天都能积极投入工作？"

"那我该怎么处理那些让我觉得'理直气壮'的问题？"她问道。

"放下它,"我说,"把它扔掉,把精力花在更重要的事情上。"

萝伦必须拼命练习按下暂停键,如我所说,这些心理习惯非常难改,但她终于克服了。这改变了她的生活,也改变了她周围人的生活,她丈夫不但回到她身边,也恢复自信,她女儿像其他同年龄的小女孩一样开始蹦蹦跳跳,她部门的流动率降低了一半。连她的容貌看起来都不一样,她眼睛周围的皱纹几乎都不见了。看到了吧？摆脱理直气壮的态度比打一针肉毒杆菌还便宜,而且能维持更久。

我总是能逮到自己出现理直气壮的态度。嗯,也不是一直都能逮到啦,很多时候,我并不自觉,但还好凯特或阿比盖尔会发现,她们称之为"老妈的喂喂喂"。

几年前,我们到阿比盖尔的学校去找她,她很会模仿我。我们带她去吃晚餐,我把餐厅经理叫来说："喂喂喂！看到坐在吧台对面那对情侣了吗？他们彼此交缠,真是恶心,请你处理一下,在餐厅这样不对。"阿比盖尔觉得很糗,但我总是这样,现在她应该已经习惯了。

还有一次,我赶到一家美发沙龙去买一种我非买到不可的发胶,美发沙龙正要打烊,店员不让我进去。我说："喂喂喂！你知不知道我是特地提早下班赶来的？"

再说一个好例子。凯特八岁的时候,她一位朋友的妈妈邀请一群小朋友参加一场睡衣派对,但是没有邀请凯特,她万万没有想到,我竟然会在曼哈顿一处人行道上,凑上去跟她说:"喂喂喂!没有邀请到每一位小朋友是不对的,你怎么能独漏一位小朋友呢?"我们现在谈起这则往事还是会哈哈大笑。但天知道我赢了几次,又输了多少次?恐怕很多次。

但是我已经收手了,不再"喂喂喂"了,告诉你,你也收手吧。

回想一下过去几个月,你坚持己见或是用自以为是的态度表达不满的经验。那种行为现在看来愚蠢吗?还是你仍然坚持自己从以前到现在都是对的?我们很容易就会陷入自以为是的习惯之中。

我们可以像萝伦一样,专注在那种小小的胜利,而输掉比这些小胜利重要一千倍的战争。

这种情况差点就发生在我的学员杰瑞身上。杰瑞在襁褓时就被母亲抛弃,她说她没办法当好一个母亲,然后就搬到别的州去了。杰瑞是由奶奶抚养长大的,奶奶很疼他,努力要弥补他母亲不在身边的缺憾。后来他长大成人,结婚生子,有了两个小孩。讽刺的是,杰瑞的妻子丢下丈夫、小孩,重返数州以外的校园读书。

大家都公认杰瑞是个好父亲,他和他的小孩很亲。尽管如此,他从未忘怀一个事实:他的母亲抛弃他,她真是大错特错。如今历史重演,再度发生在他的孩子身上。事情实在不应该是这样子的。有一天,杰瑞的妻子回来,想要重新和子女培养感情,她说她已经改变了,她长大了,可以做个好母亲了。

可想而知,杰瑞非常生气。"怎么可以这样?"他告诉我,"她离开孩子,甚至从没来探视过他们。她跟孩子已经将近五年没有联络了,现在她却想要回来,会不会想得太简单了?"

"你是对的,杰瑞,"我平静地说,"没有人会反对这点。"杰瑞良久不发一语,你可以看到他正在和自己搏斗。我问他在想什么。"噢,我只是在想,最重要的事情是什么?我的孩子跟我不一样,他们有机会重回母亲怀抱。我可以从中阻挠他们可能拥有的幸福吗? 就只因为我觉得不应该——我人生中第二次有这种感觉。"

"你要放下。"我说,"如果你愿意放下,这将是所有人曾经放下的'理直气壮'中最伟大的一项。你要问自己:在你心中,你要努力达成的目标是什么? 理直气壮地指责你的孩子不应该重新接受母亲,还是容许、鼓励他们和自己的母亲建立良好的关系,甚至过着正常的家庭生活?"

"当你开始这么想,答案就很明显。"杰瑞说,"如果只因为觉得自己是对的,想要'择善固执',而阻挠他们之间的亲情,那我变成哪种人了?如果结果是这样,我绝不会原谅我自己。"

"你不必如此,杰瑞。"我说,"如果你能原谅你太太,真是好事一桩。这样你的孩子或许也能原谅她,这可能是最好的结果。"

杰瑞放下愤怒,放下"理直气壮"的权利,甚至放下他不希望孩子们像爱他一样爱他们母亲的念头,这可能是最伟大的放下。

除了这件事,杰瑞决定放下成见,不再怪罪他母亲丢下他离开。我们讨论她时,决定这样来理解这件事:他妈妈做了一件她唯一能做的事,而且她没别的选择。如果我们这样看待这件事,继续愤怒也无济于事,至少在这几十年来毫无作用,所以杰瑞原谅了他妈妈。他不只原谅她,还展开一场寻母记。他真的找到了,经过一连串的查访,杰瑞查到她的电话号码,并且打电话给她。当她接起电话时,他说:"嗨,妈,我是杰瑞,你的儿子。我爱你。"

现在杰瑞的孩子不但有了妈妈,还多了祖母。

好,现在该你了,过去有哪些你可以"理直气壮"的事是你准备要丢掉的?当"理直气壮怪兽"要抬起它狰狞的脸孔时,你会努力逮住它吗?记住,你只需按下暂停键,自问你真正想致力于什么目标。**寻找实现目标的满足感,比起挑剔别人的错误更有乐趣,**而且你会很惊讶,这将为你的人生带来 180 度的转变。人们看到你走过来,都会发出微笑,你可能会开始吹起口哨。还有,老天知道,你看起来更迷人了,我不是开玩笑说你打肉毒杆菌,我是说真的。

将"理直气壮"加入你的情绪丢弃物清单,好吗? 否则,我就得来个"喂喂喂"了,你不会想要这样的。

 放下"理直气壮"的心态

❶问自己以下问题:我想要得理不饶人,还是想要快乐?

❷再问自己一个问题:对我而言,最重要的是什么? 证明别人错误的片刻,还是拥有良好、长远或有益的关系?

❸在表达你的观点前,先认同别人是对的。你可以这样说:"你是对的,我完全了解你的本意。"然后再说明你的看法。这么做奇迹就会出现,真的。

❹拟一份清单,列出至少五项你一直觉得"理所当然"的心态、想法或观念。

〈我的丢弃物清单〉

· 每当我对某个人或某个情况感到恼怒时,我不会再说:"喂喂喂,那样不对……" 除非我很确定我的目标是什么(要成为对的一方,还是想要快乐、正面的长期结果),我才会说。

总数:1样东西

累积总数:45样东西

〈你的丢弃物清单〉

总数:

累积总数:

不可能每个人都喜欢你

这个世界不属于适应的人，而属于与众不同的人。

　　我九岁的时候住在俄亥俄州的海湾村(Bay Village)。有一天，我从朋友的生日派对回家后，突然放声大哭。"怎么了？"我妈妈问道。"苏西说她讨厌我！"我号啕地说。"你怎么知道的？"我妈妈问。"因为每一个人都这样说。"我就像每一个九岁小孩一样回答。"嗯，"我妈妈说，"很有趣。"过了一两分钟，她问我："亲爱的，你想得出有什么东西是全世界的人都喜欢的吗？"我只是一边看着她，一边抽泣。

　　"我只能想到一样东西，"她说，"白开水。因为水没有味道。你想要像白开水一样吗？"我想了一下，说："不想。"我妈妈说："很好，我也觉得你不会喜欢。"我说："也许我会比较像热可可或可口可乐，或者是，我知道了，像柠檬汁！"她说："太好了，现在你了解了吧？"

你在想，有这种妈妈真棒，对吧？她真的很棒，是最棒的妈妈。真希望我可以说，我一直照着她的话去做，但是我并没有，我经常陷入一种沉思：希望迎合每个人的每一个需求，希望成为万人迷，就像 O 型人一样，很在意自己有哪里不讨人喜欢。

我觉得不是只有我这样，我敢说你现在正在回想，自己掉入"希望自己人见人爱"陷阱的次数有多少。我想我遇到的每个人都曾有过这种念头，但为什么会这样？我是说，你仔细思考过有谁真的是人见人爱的吗？

看看一些在社会上真的很杰出的人，例如唐纳·川普、麦当娜、雪儿(Cher)、汤姆·克鲁斯、欧普拉，还有罗西(Rosie，美国知名演员)，有些人喜欢他们，有些人讨厌他们。如果你再想想，就会知道社会上总是有这样的人。女权运动领袖格洛丽亚·斯泰纳姆(Gloria Steinem)一向特立独行，再往前回顾，英国前首相丘吉尔和罗斯福总统夫人埃莉诺(Eleanor Roosevelt)也是如此，更别提罗斯福总统本人了，这些人大多具有争议性。我想，如果他们有谁曾经担心过自己是否人见人爱，就不会坚持到最后了。虽然他们差异很大，但都有一个共通点，他们知道：**如果有够多的人喜欢你，谁不喜欢你并不重要。**

但是大多数人都害怕引起争议，甚至害怕做真正的自己，我们就像加了太多水、太少柠檬的柠檬汁，我们稀释原汁，以免冒犯到任何人，在这过程中，我们放弃自己的权利，也就是我们之所以成为我们的要素——让我们与众不同、令人难忘的特点。

但这早就不是新闻了。我们已经相当习惯压抑自己的特点，强调自己和其他人一样的地方，不是吗？从小到大，我们的父母、老师、上司都教导我们，不要特立独行，要守规矩，要入境随俗，受人喜爱。我们还花很多工夫和金钱遵守他们的建议。我们挑选合适的服装，化上合适的装扮，开合乎身份的车,说话也努力做到恰如其分,这一切努力全都是为了得到更多人的认同。

记得亚瑟·米勒的经典剧作《推销员之死》(*Death of a Salesman*)吗？主角威利·罗曼(Willy Loman)劝告儿子比夫(Biff)："受到喜爱,就不愁吃穿。"但讽刺的是,剧终的时候,功成名就而且生活快乐的人,是比夫的朋友伯纳德,也就是威利经常取笑而且不太讨人喜欢的呆瓜。

真相是,这个世界不属于适应的人,而属于与众不同的人。不论是音乐、艺术、建筑、娱乐、政治和生活,成功的人往往特立独行,这一点屡试不爽,所以如果你想要与众不同,令人难以忘怀,我们就不能一味迎合所有人的需求。我们必须决定(这个字眼再度出现),我们本质上是什么样的人？让我们与众不同的因素是什么？这也表示我们必须放弃一个旧习惯:如果有人觉得我们的柠檬汁加了太多柠檬或气泡,不合他们口味,我们就感到难过。

说到气泡,我认识一个聪明能干的女人,名叫丽兹。不久前,她面临一个需要妥协的情况——她必须决定自己的定位,那是个艰难的决定,因为代价很高。她在一家小型广告公司工作,直属于首席执行官马克,马克应该很倚重她的能力,因为她扶摇直上,从助理客服主任一路升到副总裁。但是当丽兹在公司内外的能见度逐渐提高(广告业经常将她列入"人物新闻"中),她上司对她的"喜爱"就降低了。

当她奋力往上爬的时候,她上司很喜欢她;当她到达顶峰时,他就不喜欢她了。一位朋友兼同事给她这项忠告:"丽兹,如果你想要继续待在这里,你就得低调一点。马克不喜欢你这么受到瞩目,我不知道他是嫉妒或只是心胸狭窄,但我觉得,如果你不想把他惹毛,就得改变你的作风,并且承担后果。"丽兹很震惊,就像我们大多数人一样,心想只要努力工作，得到好成绩，其他事情都会迎刃而解。最近，她觉得她真的踢到铁板了，她从没想过，她会因为太优秀或影响力变大而不受欢迎。

丽兹和我碰面时，已经濒临崩溃边缘。每天早上起床，她都很想知道，她今天会不会不小心做了什么事惹上司生气，即使那原本是件好事。"如果我被炒鱿鱼了该怎么办？"她问我，"你知道，这不无可能，马克可能会对我没有拿出最好的表现，罗织各种罪状。我突然想到，我看过他对别人做过这种事。"

丽兹40岁，在公司待了12年，拥有股票选择权、红利以及可以让人过着舒服日子的其他津贴，她也是家里的经济支柱。被解雇确实是很可怕的想法。

"辞职呢？"我问道。

"你在开玩笑吗？"丽兹震惊地说。

"我是认真的，不是在开玩笑。"我平静地说，"现在的情况就是这样，你有两个选择：你可以继续待着，等待马克觉得安心而不受你的威胁，这可能要再花个12年左右，在这段期间，你可以保持低调，试着不要锋芒太露。或者，你可以离开这个地方，继续过你的生活。"

"盖尔，我真的很需要这份工作。"

"我知道，"我回答，"但别家公司也会有工作机会，也有股票选择权和奖金，最棒的是，还有别的上司，他们会很高兴招募到像你这样有活力有干劲的人才，你自己考虑一下吧。"

我提醒她：她每天上班时有多痛苦，情况看来有多令人难以置信，她的能力其实远胜过她心胸狭窄的上司。她花了一段时间才相信我的话，她只是从未想过自己会功高震主。我们大多数人都没想过。"但是到目前为止，我在这家公司过得很愉快，"丽兹说，"我只是不了解出了什么错。"

"没出什么错啊，"我说，"只不过现在是你该前进的时候了。讽刺的是，现在也是你更贴近自己，而不是远离自己的时候。我们来'盘点'一下，你其实是什么样的人。"

丽兹和我拟了一张清单，列出到目前为止，她在职业中做过哪些让她觉得很骄傲的事情——我希望你也这么做。因为丽兹才开始回顾过去，就讶异于自己原来有这么多的成就，你在拟清单时，一定也会有同感。她和我们大多数人一样，从未好好注意她已经非常优秀了，她总是忙着接受下一个挑战。

她记得，大约一年前，一位非常资深的员工生病了，她在最后一刻代替对方上阵，向公司最大的客户作了一场关键的简报。她非常害怕，但是她办到了，虽然称不上完美，但是令人印象深刻，而且既优雅又幽默。她作完简报时，客户团队纷纷鼓掌。丽兹跟我讲这段往事时神采飞扬。

接下来，我们拟了一份清单，上面列出她自己最想要具备的特点(你也要照做，方法很简单)，她毫不犹豫地写下"有趣"，然后又加上"敏锐""能振奋人心"和"善于聆听"。

接着，我邀请丽兹做一项我最喜欢的练习。我说："请你照样造句：'我是丽兹，而且我……'"她回答："我得想一下。"我说："不，不要把它搞得很难。你希望自己以什么著称，哪些事情会让你感到骄傲？当你说'我是谁谁谁'时，就是在作出承诺，你的承诺是什么？"

"好，那我开始了。"她站起来，抬头挺胸，微笑着说，"我是丽兹，我是搞定事情的人，还有，"她又说，"我让完成任务变得有趣。"

你如何完成你的句子？大声说出那个句子，看看它听起来有多棒。

现在可以派上用场了。我问丽兹，她准备丢掉什么东西，以实践她的承诺。

她说:"我要丢掉'如果有人不喜欢我,那是我的错'的想法。我要丢掉'我要取悦每一个人,不然我就不够好'的想法。我还要丢掉'害怕脱颖而出'的想法。听起来如何?"

"太完美了!"我说。

我想我不说你也知道结果如何,丽兹辞职了。你知道有句俗话说"骑驴找马",不要相信它,至少不必坚信不移。当然,有时候,受财务和家庭条件限制,我们必须找到新工作,才能辞去旧工作;但也有些时候,我们必须先抛开使人疲弱不振的过去,好让令人振奋的未来快点出现。丽兹告诉马克她要离开,从那一刻起,她已经脱胎换骨,她看起来不一样,听起来也不一样,她变成她必须成为的那种人:她对自己一点也不难为情,她"回来了"。

六周后,丽兹在一家热门的新广告公司得到新工作,该公司以卓越的客户关系著称。"我们喜欢你的态度,"她的新上司通知她被录取时告诉她,"你拥有我们公司需要的那种精神,恭喜你!"她上任后不到六个月,就把老东家最大的客户挖过来,就是听过她那次魅力十足简报的公司。

说到"魅力十足的简报",即便像丽兹做得那么出色,听众里还是有人可能会不以为然。这很正常,任何人都有可能遇到这种状况。**因为不论我们表现得再好,也不是所有的人都会买账,不可能每个人都毫无异议,所以让我们抛开一个想法:如果有一个人觉得我们只是二流人物,那不代表我们不够好。可以吗?一言为定啰!**

在我认识的人当中,我父亲最能够激励人,每当我觉得怯于引人注目、展显自信或是特立独行时,他会说:"坚持信念,否则任何事情都可能把你绊倒。"丽兹差点就跌了一大跤,因为她委曲求全、不敢充分展现自己,淡化自己的独特性,以免触犯或威胁别人。不要这么做。

记住你是谁,记住是什么因素让你不只是平淡的白开水,也不是热可可或可口可乐,而是任何人喝过最好喝的一杯柠檬汁。务必每天检查你的特点清单,接受这些特点,同时接受自己,走进每一间能够证明你既杰出又独特的会议室,以往的恐惧(担心无法取悦别人)突然蹦出来时,扔掉它,想想雪儿、麦当娜或是萝西,记住你为自己造的句子。

全世界都期盼你以原汁原味的柠檬汁,而不是某种稀释的版本,向前迈进。此外,虽然不是全部的人都会张开双臂欢迎你,但是人数也够多了。而且,如果有"够多"的人喜欢你,不喜欢你的人并不重要。

放下"希望自己人见人爱"的想法

❶拟出一份清单,列出你对自己最满意的特点,从你的幽默感到你的说服力,以及任何让你觉得与众不同的特点。请你的亲朋好友协助补充清单。

❷承诺:不因为别人对你展现的能力感到受威胁,就自我设限。可能的话,将那些人从你的生活中排除开来。

❸务必完成以下的句子:我是_____,我的为人_____。这是你的承诺,要兑现。

❹拟出一份清单,列出你害怕别人可能因此对你反感的事情,把那些恐惧全都丢掉。如果有够多的人喜欢你,不喜欢你的人并不重要。

〈我的丢弃物清单〉

· 我会抛开一个想法：每个人都要
喜欢我所说的话、我所写的东西，或是
我做的事。

总数：1 样东西
累积总数：46 样东西

〈你的丢弃物清单〉

总数：
累积总数：

老是往坏处想，你会如愿

爱因斯坦："到最后，没有事实存在。"

如果你能丢掉"往坏处想"的习惯，你会真的很快乐。负面解读就像有些昆虫为了诱捕猎物吐出来的黏稠液体，沾满我们全身。我记得捕蝇草用来捕捉猎物的叶子上也有类似的物质，事实上，我们全都很像可爱的捕蝇草，对不对？发生了什么事，谁说了什么话，我们就反应激烈。不论什么事情，我们都先往坏处想，放在心里，并反复咀嚼。我们和捕蝇草不同的地方是：捕蝇草靠着诱捕昆虫生生不息，我们却会因此生病。

几年前，我到一家大公司演讲，讲完之后走向电梯时，这家公司的人力资源主管凑过来跟我攀谈。她说："你好，盖尔，你记得稍早我们吃午饭时，你一直盯着我看吗？"我说："噢，好像是吧。"她神情忧虑地继续说："我就知道你觉得我的妆有问题。我记得你曾经在化妆品公司任职，可不可以告诉我，我应该怎么做才对？"

"你在开玩笑吗？"我说，"你误会了，我盯着你瞧，是因为我很认真听你说话，我想要听清楚你说的每一个字。"

"真的吗？"她问道，眯着眼睛看我。"真的，"我说，"你看起来很棒，真的。"

我终于说服她，说她的妆没问题，然后才走进电梯。不过要说服她并不容易，她很确定她的解读是对的。事实是，我盯着她看，她自行解读为"有问题"，在这个情境中，是指她的妆有问题。我们经常都会这样，对吧？整个过程是：发生了什么事情或是谁说了什么话（一项事实），我们马上赋予它意义，加以解读，然后，对了！事实和解读融合在一起，"真相"大白了；更糟的是，这个"真相"就这样变成实际情况。

我开始撰写本书的时候，寄了样章给我的编辑凯伦，请她帮我看一下。以前我请她做这种事的时候，她总是不到两天就回复我，提供我意见，这次我等了一个半星期还没接到回复。"凯伦还没回信呢。"我告诉吉姆。"那又怎样？她可能在忙其他事。"他说。"可是她一向都是马上回复我的，一定是出了什么问题。我那几章冒了一点险，她可能不喜欢。我想我可能得重写，这样我的进度一定会来不及。"吉姆转了一下眼珠子："你会不会太小题大做啊？她既然肯定你上次寄的那几章，为什么她会不喜欢这次寄的这几章？你何不乐观一点，等接到她的回复再说？"

现在想想，那真是很好的建议。但我感受到工作量可能大增的压力，实在没有干劲继续写下去。而且就像大部分人一样，没有干劲会衍生出更多的忧虑与不安，所以我把凯伦可能不喜欢那几章的"事实"加入我的担心事项清单中。那天晚上我只睡了几小时，也就不奇怪了。

我在床上辗转反侧，叹气和思索到底哪里可能出错。有没有真正的事实支持我的疑虑，一点也不重要，我的负面解读已经取得主导权，以至于我对前一周发生的事情所做的一切解读，都变成负面的：某家金融机构还没告诉我，他们是否确定要请我去迪拜，向亚太地区最重要的一些人士作一场重要演讲，这可能意味着，他们另有人选，是不是？还有，电视网制作人大卫·莫尔科（David Molko）也没有半点消息，说他已经获准以我的心脏病症状为主题，制作一个女性与心脏病的特别节目，所以，他可能没有得到经费，对吧？诸如此类的事情不胜枚举。要为这件事辗转反侧，一个晚上不够，我可能需要一星期。

我还真花了一个星期辗转反侧。最好的眼部遮瑕膏、冰袋或茶包，也遮掩不了我的倦容。事实证明，打再好的肉毒杆菌也无济于事。"你只需要放轻松，"我的好友整形外科医师艾伦·马它拉索（Alan Matarasso）说，"看来你在担心没必要担心的事情。别担心了，其他的你就不用管了。"又是一名智者的智慧之语，但是你不觉得知易行难吗？特别是当所有负面的解读意味着一件事：不够好。这三个字总结了我们在无数的夜里辗转反侧的理由。

所以我放松了吗？没有。我一直等到凯伦、那家金融机构以及大卫回复后才能放松。凯伦说，她很抱歉花了这么久的时间看我写的那几章，她被另一项计划缠住了，不过那几章看起来很好；那家金融机构说，他们正好碰到一项需要立即处理的紧急事件，不过他们确实要请我去迪拜；大卫打电话给我，说他们拿到预算了，节目即将开始制作。所以，我一个人闷闷不乐了两个礼拜，其实是庸人自扰。

更糟的是，我的庸人自扰，削弱了我的心智免疫系统，而且影响之大，连没有顺利完成的芝麻小事都让我自责不已，证明那三个可怕的字眼是对的：不够好。你想要用这种方式度过你的人生吗？你是否觉得似曾相识?

重点就在这里：我对已经发生或尚未发生的事情，解读都不正确，我担心生活不顺心或是未达到某种标准，这种忧虑让我不由自主地往坏处想，我知道自己应该扔掉这些负面解读，却紧抓着它们不放。

我们的生活中充斥着负面解读：战争因解读而起，选举因解读而决胜负，就连股市的上下波动，原因也不在于事实，而在于对事实的解读。的确，凯伦是有一阵子没有回复，这是事实；制作人和金融机构高级主管没有回复，这也是事实；但让我睡不着的不是事实，而是解读。

回顾你的人生，回顾昨天或今天早上发生了什么事，有人说了什么话，你的解读是什么？也许，你想提一个点子，用电子邮件把它寄给某人，对方却没有回复；也许，你对某个新职务很感兴趣，要求某人提供信息，对方却没有回电；也许，某人在会议上、街上或是电梯里，看着你的样子不太对劲，你的解读是什么？我敢断定不是什么好事。

接下来的时间，你满脑子都是负面解读，你的电力瞬间耗尽，让你还来不及反应，就一路跌跌撞撞、垂头丧气，或是走进某个房间，预料其他事情也会跟着出错。可笑的是，根本没有事情出错，全是你捏造出来的。

我带着我的新书《女人，活出你的梦想》(*My Wildest Dreams*)上欧普拉秀的时候，差点因为往坏处想，而毁掉一个大好机会。在开始录制那集节目之前，欧普拉的制作人告诉我(我很幸运，那集只有我一位来宾)，他们打算先为别集录制一些开场和结尾。"请你在绿色的房间里等候，"她说，"我们不会花太久时间，之后就会开始录你这一集，好吗？还有，盖尔，"她补充说，"录像时，我希望你表现充沛的活力，要充沛，好吗？整集节目都跟活力有关，你知道我的意思吧？"

"我知道，"我说，"但我们是不是该进一步谈谈要做哪些事？像是节目开录时要谈些什么？"

"老姐，"她说，"这很简单，录完别集时，我会来找你，带欧普拉一起来，这样你就有机会先和她聊几分钟，然后再进棚录影。棚里有两张黄色的大椅子，欧普拉会坐在其中一张，你坐另一张，你们开始谈话时，节目就开录了。不过盖尔，"她说，"我真的需要你表现出充沛的活力，好吗？待会儿见。"

我独自一人待在绿色房间一个半小时，你知道一个半小时可以发生多少事吗？你差不多会忘光你本来知道的所有事情。"早知道就该把书带在身上，"在空无一人的房间，我大声地对自己说，"这样我或许可以记起我写的一些东西。我是说，如果我能看一下书，哪怕只是读读序的部分，或许就可以让我恢复记忆……"

这时制作人进来说："我们有点晚了，老姐，所以你没机会跟欧普拉聊了，我们现在就要开录，要表现充沛的活力，好吗？就这样了。"

于是我们走进摄影棚，没错，是有两张黄色椅子，欧普拉坐在其中一张，另一张是空的，我走向欧普拉，伸出手说："嗨，我是盖尔。"她说："你好吗？"我说："我很好。"她说："很好。"就这样。她没有请我坐下，所以我继续站着。她想了一下，然后转向导播说了下面三个字，也就是现在绣在我办公室靠枕上、我一辈子也忘不了的三个字："拿长椅。"

"拿长椅？"我在想，这是什么意思？噢，我知道了，我敢说这一定是"拿钩子"（把人拉下舞台）的暗号。欧普拉是非常聪明的女人，她一眼就能看出来，她遇到的是一个脑袋一片空白、没有活力、一点也不正点(no badda bing)的来宾。有两个人走过来，迅速把两张椅子移走，改换一张很大的黄色长椅。

欧普拉说："好，盖尔，你坐长椅，我会走进观众群里。"她真的走到观众群中,我独自坐在长椅上,面对估计可能有数百万名的收视观众,脑袋一片空白。我往观众群看,看到我女儿凯特,她扬起眉毛看我,我也扬起眉毛作为回应。后来我想:我在这里做什么呢?是什么让我觉得我够好,好到能上欧普拉的节目?我想要回家,或者至少躺下来。

事实是什么?欧普拉说"拿长椅",而现在我一个人坐在长椅上。这当中有什么含意?我脑中浮现的第一个解读很简单:欧普拉不喜欢我,她甚至不想和我坐在一起。我脑中浮现的第二个解读是:让一个不认识的人独自坐在长椅上,这样不太厚道吧?可是一直想这些也不会有帮助,那我应该怎么办?(看到了吗?我一度认为欧普拉犯了错。这可不行。)

所以以下是我的做法,你也要这么做:**每当发生了什么事,或谁说了什么话,我们不要先急着往坏处想,告诉自己暂停一下,问自己以下问题:"我一直在为什么目标而努力?"这样想的话,我们就得丢开负面解读,想出一个可以协助我们实现目标的解读。**

还好,我很清楚我的目标是什么:我希望欧普拉节目观众里的每一个人,在离开的时候,都能得到一个新观念,知道自己的生命充满可能性。好,我在心里对自己说:"如果这是你想要的结果,那你准备对'拿长椅'这三个字赋予什么意义?"

我脑中浮现一句话:"欧普拉信任我。"这项解读改变了一切。我心里想:"如果欧普拉信任我,我还能不相信自己吗?"所以我开始说话(你知道的,有时候你就是得开始行动,即使不知道行动会导致怎样的结果),我甚至从长椅上起身走进观众群里,然后欧普拉加入我。我想(其实我知道),那一天,我们一起改变了某些人的生命。

几天后,制作人打电话给我说:"嘿,盖尔,我只是想让你知道,我们正在剪辑节目,看起来效果很好,包你满意。"

"哇,那太好了。"我说,"但我一直很纳闷,你知道,当欧普拉说'拿长椅'的时候,是——?"

"是啊,那可是大动作。"制作人说。

"是,我知道,"我说谎,"我只是不明白,为什么要换椅子呢?"

"噢,那只是表示欧普拉想告诉你,继续做节目。"她说。

"当然,我也知道,"我笨拙地说。"我只是要确认一下。嘿,你能搬来真是太好了。"

你可以想见,如果我继续执著于那堆负面解读,结果会如何……

"等一下,盖尔,"你会说,"要是真被你说中了,你的编辑不喜欢那几章,那家公司没有请你去迪拜演讲,制作人没有争取到节目制作经费,或是欧普拉真的不喜欢你,你该怎么办?要是结果证明你确实不够好,那该怎么办?"

好,如果最坏的情况发生了呢?你知道,有时候情况真的会这样。我们不会总是如愿以偿,我们遭遇重大挫败,到迪拜的机会可能落入他人之手。但是你知道吗?坏事发生的几率,远低于我们的想象!大多数时候,事情会顺顺溜溜;偶尔,事情会非常成功。

所以听好,我们必须丢掉杞人忧天的想法,我们必须现在就决定,我们不会再对已经发生的事或是说过的话作负面的解读,我们会按下暂停键,问自己:我的目标到底是什么?我希望实现什么?是升官、新工作、新男友、一个大案子获得核准,或单纯只是累了一天之后得到圆满的结果?**不论发生什么事,都要对现状作正面的解读。这样,你会更有机会如愿以偿,不论你的心愿多大或多小。**

记住爱因斯坦所说的话:"到最后,没有事实存在。"看吧,"真相"几乎都是来自解读,是人想出来的,所以,**既然"真相"是人想出来的,你也**

能想出一个。创造出让你迈向梦想的解读，而不是将你拉回你早该丢弃的过去。你知道，这是你的人生，不是一部电影，你要自行决定最后结果如何，你得自己创造结果，所以要好好创造。

 如何丢掉"负面解读"

❶拟定一份清单，列出过去一年左右，你生命中发生的一些事件。

❷你如何解读这些事件？你的解读正确吗？会不会有些时候，你从未发现"正确的"解读是什么？

❸自问：你曾经如何无谓地让自己闷闷不乐，并且采取负面解读？你花了多大力气抛开"贬损自己"的习惯？

❹另外拟一份清单，列出你所认知的生活实际状况，包括你的感情、友谊、事业、健康、财务状况，可能会发生什么事。问自己这些所谓的"实际状况"，有哪些部分是事实，有哪些是你杞人忧天，而让你感到恐惧、逃避，或是常常对自己说："还是该先做最坏的打算，要是事情顺利的话，就当作惊喜。"别用这么差劲的方式过日子，放手吧。

〈我的丢弃物清单〉

·我会丢掉"没消息就是坏消息"的想法。

总数：1 样东西

累积总数：47 样东西

〈你的丢弃物清单〉

总数：

累积总数：

145

禁止说"我想等到……"

绝对不要等待勇气出现,你会等待一辈子。

等待是一种全民运动,我们等待心血来潮,等待天气改变,等待某人开始指挥乐队演奏,以提示我们开始唱歌。我们有些人一直等待被了解,了解我们的好。他们应该肯定我们,奖励我们,提拔我们升官,并且赞扬我们。他们应该发掘我们。但是事情往往不是这样进行的,而是:**要等到我们了解自己之后,别人才会了解我们**。要等到我们步出看台,走上球场——甚至在获得邀请之前就主动走向前,其他人才会了解我们。

谈到全民运动和走上球场,以下的故事,会让你得到很大的快感——

在我大约 24 岁的时候,拥有全世界最棒的工作,对女生而言尤其如此。我是纽约扬基棒球队特别升迁部门经理。没错,我是美国职棒大联盟(MLB)里唯一的女性,负责行政经理的工作,我对棒球的了解,胜过对升迁的了解,而且我全身心投入,从工作中得到许多乐趣。

我观赏每一场在纽约主场举行的球赛,我想我吃的热狗,可能比美国其他女性多很多。有一天,我正在打电话的时候,有一个十足的明星球员(姑且称他为乔)走进我窄小的办公室,一屁股坐到椅子上,开始吃起一个超大的腌燻牛肉三明治,他看起来很阴郁。我挂电话之后问:"怎么了,乔?"他嘴里塞满食物,芥末酱滴到下巴(乔有名的是打击率,而不是餐桌礼仪),他说:"我正处于低潮,我得等待低潮结束。"

的确,乔过去三次上场打击都遭到三振出局,就他和体育专栏作家而言,这是"低潮"没错。我想了一下,我当然不希望乔什么都没改变就离开办公室,所以我试图想出一些激励的话。

"我不了解,乔,关于低潮这件事,还有你为什么得等待低潮结束。你为什么不能决定它已经结束,比方说现在。"乔说:"那是棒球,你不了解。"我说:"我知道我不了解,但是是谁编造出这件事的?我们为什么要相信?等待愚蠢的低潮结束,这种想法一点道理也没有。"

乔看我的样子,好像我是个彻底的白痴,是个完全不懂棒球的女孩(他其实并没那么离谱)。但是当时我很年轻,而且一帆风顺,所以我继续冲刺。"听着,"我说,"三次三振出局等于三次三振出局,不是四次。我们一起大声说出来,就是现在,低潮已经结束了。它已经结束了,乔,就从现在开始,把那颗该死的球打出去,好吗?不要迟疑,不要等待,这就是你到大联盟来的目的,没错吧?而且没有人比你做得更好。"

乔继续嚼着三明治。一两分钟后,他站起来,哼了一声,然后走出去。当然,他也在我的办公桌上留下三明治和腌黄瓜的碎屑以及揉成一团的纸巾。但是那并不重要,重要的是,几个小时后,他上场打球,击出一支二垒安打。接下来的打击者将他送回本垒。当他跑到三垒时,他抬头看了看我固定会坐的看台区,碰一下他的帽子向我致意:低潮结束了。

我们全都比自己想的要强得多,也比自己认定的更有能力:可以掌握我们的命运,过着我们想要的生活,而不是听天由命。**不要再等待了,现在就作决定,现在就是抛开错误想法的时候,不要再认为:我们还没有准备好;我们必须做到尽善尽美;我们必须等待。**

我认识一个名叫珍妮的女人,她应该准备好冲刺事业,所有的迹象都指出,现在是采取行动的适当时机:她是业界公认的行家,她的公司随时准备帮她升官。但是最重要的是,她对目前的工作已经失去热情。

"拜托,珍妮,我们就大胆一试吧!"我有点不耐烦地说。我们讨论冲刺事业已经好几个星期了。"我知道,我知道,盖尔,我应该很快就会采取行动了,但是你知道,我想等我儿子再大一点。"

"等等,他现在几岁?"我问。

"他快要 30 岁了,但我只是想确定……"她的声音逐渐变小。

看,我们许多人都在等待,我们都在等待信号出现、等待邀请、等待被发现,或是等着所有行星排成一直线,才要采取行动来改变我们的人生或世界。(我不是在说笑,我有个朋友说要等水星开始逆行,才肯在人生中继续前进。你不会这样,对吧?)我们暂停我们的动力和未来,等待时机出现,在等待的时候,我们的人生、我们的机会、我们的重要时刻,都一一飘散。我学习到(有时候是好不容易才学到),**机会是不会自动出现的,我们得努力掌握住机会**,而这么做需要勇气。

谈到勇气,最近一位刚退休的高级主管,和我聊到下决心行动的重要性。他沉吟良久,然后抬头说:"好!盖尔,我决定好要做什么了,我要写一本书。"

"那太棒了！"我说，"你有很多东西可以写。你准备什么时候开始？"

"嗯，"他回答，"我想我得等我鼓足勇气。"

"绝对不要等待勇气出现，"我说，"你会等待一辈子。"

是真的。不会有人在某个风和日丽的日子，拿着一个包装得漂漂亮亮的盒子，去敲你家的门说："你的勇气送来了。请问你要放在哪里？"勇气不是别人给你的。这点很好，因为这样一来，它也无法被夺走。

勇气伴随行动而来，你一旦向前迈进，一旦宣布你的决定，一旦你说"这件事情就这么做"，勇气就会出现。它涌向你，让你身体每一寸的力量都活跃起来，你不必等待，它就会出现。

下面是一个沉痛的故事，有个可爱的女人一直在等勇气出现⋯⋯她等了 19 年。

她的名字是卢安·艾尔达(Lue Ann Eldar)，如今事业有成，积极投入纽约的慈善事业，她知道她现在做得很好，说话有分量，也能够掌握自己的人生。但是回到 1978 年，年方 23 的卢安非常热爱古典音乐，而且非常崇拜伟大的歌剧经理人鲁道夫·宾(Sir Rudolf Bing)爵士。多年来，鲁道夫爵士一直担任大都会歌剧院总经理，因此，卢安写了一封信给他，询问他愿不愿意见她一面，并且考虑接受她在那里实习。

一星期后，她接到鲁道夫爵士办公室寄来的一封信，她费力地审视信封良久，把它翻来翻去，就是没有打开它。事实上，她那个星期、那个月甚至那一年都没有打开它，她一直把它原封不动地放在一个盒子里，跟一些"很容易被遗忘的"纪念品放在一起。她偶尔会把它拿出来，但是从未拆开信封上的封口，不可思议的是，19 年来都没有拆开。现在来看，那真是漫长的等待。

"卢安，"我说，"我无法置信！到底为什么⋯⋯""因为，"她说，"我觉得我不够好，我只看到自己的缺点和失败。还有，坦白说，我只是不想知道他拒绝我。我不想要读到'感谢来信，但恕无职缺'的回复。我想我最好继续等待。"

有多少人做过类似的事？也许没有这么夸张，但是很类似？有多少人或多或少曾经选择不加入游戏，让自己无论如何都不会输？以下是卢安得到的结果。

1997年，鲁道夫爵士过世，她在《纽约时报》看到他的讣告，终于有勇气从盒子取出那封信，打开它，读着鲁道夫爵士亲自写下的句子："我很乐于见你，你听起来很像是一个有能力和才气的年轻女士，请电洽我的办公室，约定见面时间。期待你的回音。"

卢安愣住了。她既兴奋又惊骇。兴奋的是，那么多年前，鲁道夫爵士觉得她很值得一见；惊骇的是，她一直在等待适当的时机，在等待的过程中，她完全搞砸了这个机会。

现在你知道了吧！我相信大多数事情会按照应有的方式完成，我们能为自己做的事情中，最好的一件就是抛开所谓的错误和悔恨。卢安在跟我说这件事的时候，已经做到这一点。"事情已经发生了。"她说，"我担心被拒绝，决定等到觉得自己比较有价值的时候才行动，这种想法太愚蠢了。我从这件事学到这个教训，让我数十年受用不尽。"

是的，确实如此。如今，卢安是我认识的人当中最勇敢最有自信的人之一，而且相信我，她不会坐待机会降临，她每天都精力充沛，她的目标是在这个世界产生正面的影响力，这个目标推动着她前进，她正在发挥影响力。但愿鲁道夫爵士在此为她起立鼓掌。

因此，"等待"一定要列入我们的情绪丢弃物清单中。每当我们发现我们对着自己说："也许我该等到……"请你先暂停一下。你没有时间等待,记得吗？这是你拥有的唯一人生,至少是你唯一确实知道的人生。当你打算等待适当的时机,才要试着争取高位,或是参加"与星共舞"节目(Dancing With the Stars)(哈！有何不可),或是去见交友网站帮忙撮合的那位网友(之前你已经被三振出局三次了),请你记住这一点:过去不能支配未来,你是因也是果,你要决定事情如何进行。那为何不好好做,而且马上做？

 ## 如何用行动逼出勇气?

❶不要还没开始,就判定自己失去比赛资格,你是来比赛的,不要坐在场外当观众。

❷拟出你的胜利清单:你接到好球、换你叫牌,或是赢得胜利(不论是你自己或别人的)。每次面对新挑战,都要对你的战绩引以为傲。

❸丢掉战败清单。想要充分利用自己的动力,就要抛开害怕失败或遭到拒绝的心理。记住,勇气伴随行动而来。

❹你准备向前踏出一步,有个声音就会大喊:"等等！"不要去听那个声音。无论如何都要勇敢说出你的想法,提出你的计划,展现你的热情,不管怎样都要走上本垒板。收到信的时候,要打开它。

〈我的丢弃物清单〉

· 我会抛开"如果我够好，他们自然会发现"的被动想法，并且走上球场，球场上会飘扬着我的旗子。

总数：1 样东西

累积总数：48 样东西

〈你的丢弃物清单〉

总数：

累积总数：

安全感会害你不安全

人生中最好的机会,大多不在我们现有的导航图中。

我们都曾经不知道何去何从,甚至不知道自己是谁。我们经常发现自己在生命的某些时候挣扎:在工作与工作之间、在不同的感情之间、在旧观念与新观念之间。那真的很令人不安,对不对?我是指,安全感一直都是圣杯(Holy Grail),一个遥不可及的目标。

你记得安全分两种,一种是国家安全,一种是个人安全,对吧?这种看法的前提是,我们知道无论如何我们都保有安全。记得社会保障制度(Social Security)吗?(也许,现在不要记得这个制度比较好)那么工作安全保障呢?财务安全保障呢?有一种观念是:如果你努力工作存钱,并且克制自己最狂野的梦想(更别提开销了),你就会安然无恙。你会在同一家公司晋升再晋升, 然后对了! 你可以住在退休人士的天堂佛罗里达州,而且房子就在高尔夫球场旁边。如今,所有这些安全机制,就算还没完全瓦解,也大有问题。

几年前,我受邀到普林斯顿大学一场同学会担任演讲嘉宾,在会中,我请每一位校友完成一个句子:"25年前,我从未想过我……"一位很有魅力的女士起身说:"25年前,我从未想过我会站在这里,很荣幸以普林斯顿校友的身份在这里说,我不知道接下来25年,我会往哪里去,或是我的事业和人生应该朝什么方向走。"

三分之二的在场观众,为她的诚实起身鼓掌,并且点头表示同意。我后来起身去找她,并自我介绍。她的名字是克莱尔,最近刚离婚,有两名即将成年的子女,而且不久前才被一家投资银行资遣。她不敢相信她的人生会是这样的结果。

"我觉得很不安。"她说。

"还没有到结果,"我回答,"这只是在漫长、多彩多姿的人生中(但愿如此)片刻的困难而已,而且不论如何,结果可能是好的。"

"你在开玩笑吗?"克莱尔说,"我不知道何去何从,我看不到未来,我甚至不确定我知不知道自己是谁。"

"这就是为什么这样很好。"我说。

听着,我知道一开始很难接受这种话,不论是对当时的克莱尔,或是对以前的我都是如此,但是我衷心相信,不知道自己是谁是件好事。不安全感(不知道自己的未来如何)可能是好事,不是坏事。如果你想一想,就会发现,我们本来就无意中过着井然有序、可预期的生活,每件事情都安排得妥妥当当,就像知道下星期要穿的衣服一样。你知道,我们的裙子、衬衫、鞋子、耳环、皮带、皮包,所有的一切,像阅兵一样机械地按照顺序,全都折叠和标示清楚,它们唯一的希望就是履行它们的既定任务。

不，我认为，安逸(《韦氏字典》的定义为"享受满足和安全感……无忧无虑")实际上会阻碍成长。我不是在开玩笑。如果我们全然的安逸和安全，如果我们无欲无求，无忧无虑，只渴望一成不变，那么成长、改变、创新、再创新的动力从何而来？在安逸的状态中，达尔文所谓的进化在哪里？哪里都找不到。我的朋友，达尔文是对的，他说："物种中最强甚至最聪明的，未必能存活，只有最能够适应变动的物种才能存活。"

你知道吗？我们是"物种"，是奇妙的、活生生的、正在呼吸中的有机体，演化可以将我们带到哪里，并没有限制。感谢上天，我们一向走自己的路，从未静待演化发生，我可以明确地告诉你，走自己的路应该是一项冒险，冒险在本质上本来就是不可预测的，结果难以预料，否则它就不算是冒险了。那位坎特伯里大主教贝克特是对的，要等到我们写下来，才算数。

事实上，如果我们一直待在舒适圈里，就无法成长，但是大多数人不会离开熟悉的地方，自愿进入未知的领域，进入冒险之地。这就是为什么当我们被迫行动时，是件好事的原因。如果没有足够的外力破坏克莱尔的既定计划，迫使她主动出击，她可能会继续待在前公司(她的评价是"死气沉沉，令人欲振乏力")，和同一个人共度余生(她形容他"心胸狭窄又自我中心")。上天让她突然失去某些东西，按下启动键，让她开始运转。

我们很难承受这么剧烈的变动，我们成长的过程中并不重视或期待不安全感，但是不安全感随时都可能出现。**我们可以选择，我们是要蹲下来、躲在已知的世界中，静待事情恢复原状(如果运气好的话)，还是要踏进旗帜飞扬的未知世界，在其中成长、适应、活跃，就像我们身为强大又聪明的物种该有的作为一样。抛开对安全感的需求，真的没有那**

么困难,甚至会很有趣,但是在此之前,我们必须先抛开随时都需要安全感的心态。

克莱尔起初非常执著于一个想法:"我很聪明,所以我应该可以完全掌握自己的命运。"因此她需要一些暖身练习,才能够考虑放开扶手,走进未知的世界。以下是克莱尔抛开安全感需求的暖身清单,这对她有效,我想对你也会有效。

● **尝试新的食物**。每一到两周去一次外国料理餐厅,或是使用你从未使用过的外国食品原料。看看你会不会说:"可是我不喜欢咖喱!"无论如何都尝试看看。现在的克莱尔爱上了泰国食物,并且开始在料理中使用香茅。

● **听新的音乐**。买一些音乐光碟,或是下载你从未听过(或从没喜欢过)的音乐,也许是你小孩子听的音乐。克莱尔和她女儿一起上非洲鼓课程,一开始她觉得自己表现得很笨拙,但是她女儿鼓励她,她们玩得很开心。

● **尝试新运动**。用意不是要成为十项全能,而是要让你置身其中,感受学习新事物的不适感,而且你无论如何都要做。克莱尔买了一辆单车,加入社区的单车骑士团体(里面的成员她全都不认识),现在他们每周六早上都会一起骑脚踏车。

● **培养学生心态**。你的目标是学习,看着你自己从渴望安全感,转变成接受不安全感并且靠着冒险成功。今晚试试下厨如何?

克莱尔被解雇后不久,有位朋友对克莱尔说:"你应该创业才对。"她的回答是:"你别开玩笑了,我可不是什么企业家。"如今,她已经拥有自己的公司,对处于过渡时期的妇女提供投资和财务咨询服务。她说,她发现这样做"太值得了"。她骑脚踏车上班,跟她在泰式料理外卖餐厅认识的一名男性交往中,她形容他"真的很风趣,令人很愉快"。她还说,他很喜欢听她打鼓。

朋友,抛开无谓的安全感吧,一味寻求安全感一点也不好玩,如果是我父亲,他会说:"这样做没啥好处。"

 ## 别让安全感绑死你

❶不必知道事情结果会如何。在你人生的小说中,没有"翻到最后一页"这回事,因为没有最后一页。

❷不要再确保你的人生会依照几十年前设定的计划来发展,只要有半次机会,你的人生就会发展得比你预期的要好,即使是在你最狂野的梦境里也会是如此。

❸不要再认为,如果你无法想象,事情就不可能发生。人生中最好的机会,大多不在我们现有的导航图中,现在,这真是令人振奋的一件事情。

❹拟出你的不安全感清单,马上将其中至少百分之七十五的项目扔掉,这样就会使你丢弃的物件总数大增,是吧?

〈我的丢弃物清单〉

· 我会丢掉一种恐惧：如果我看不出事情会发展出什么结果，那事情就不会有好结果。

总数：1 样东西

累积总数：49 样东西

〈你的丢弃物清单〉

总数：

累积总数：

丢掉"我都是靠自己"的想法

抓住每一个对别人的生命发挥正面影响力的机会。

几年前，我的朋友安对我说："你得放弃你必须独自处理所有事情的想法。我看你这样很累。"

听到她的话，我很震惊，我不知道我给人那种感受。"得了吧，我不是那种人，太荒谬了。"我回答。

"想想看，"她说，"有那么多人可以帮你，但如果你不让他们帮你，或让他们认为你不需要他们，他们就使不上力。这就像你把所有在这里帮助你的美好天使全都赶走一样，如果你注意到他们的话。"这话好深奥，对吧？

在往后几年，我断断续续思考了安所说的话(但多数时间都没有在想)，我太忙于事必躬亲，所以没有时间想到天使，而且我们也没有再继续联络，这很可惜，因为我本来可以好好善用她充满洞察力的激励。但是后来发生了一些事情，让我彻底了解她的话，到现在，我仍然努力奉行这些话……

两年前，我坐出租车到芝加哥奥哈拉机场，车子在某个登机门停下来时，才发现我把所有的行李放在出租车后座的右侧，我很难爬过所有的东西下车。"我只要从左边下车，绕到右边去拿行李袋就好。"我告诉司机。我想我听到他哼了一声表示听到我说话，但是现在回想起来，我没这么确定他听到了。

我下了车，关了门，就在这个时候，司机开车走了，带着我所有的行头：我的"演讲服"、化妆品、昂贵的护肤产品、我最喜欢的鞋子，还有一个放着我所有工作文件的包包，里面有我的笔记本电脑、黑莓手机，还有皮包（对，你很难相信吧）。皮包里有我的现金、信用卡、护照以及塞进侧袋的一对钻石耳环，情况就像我人生的全部都在那辆出租车里。

我一边追着车子跑，一边尖叫："停车，回来！嘿！回来！"车辆全都按着喇叭，司机们对着我大吼，要我别挡路。我开始泪流满面，对着机场路边执勤的服务人员喊道："那辆出租车载走我所有的东西！"他问我搭哪一型的车子。"我不知道，"我说，"是白色中带有黑色的车子。"他转动眼珠，问我车号多少。"我不知道。"我哭着说。"那我就帮不了你，你知道芝加哥有多少出租车司机和出租车公司吗？很遗憾，你运气很差。"

我想，我怎么可能运气很差，一定有人可以帮我，安所说的那些天使在哪里？天使，我的脚，我独自在这该死的机场，甚至没有……

"出租车号是047。"一个冷静的声音说。我转过头，发现一个年龄（管他到底是几岁）和我相仿的帅哥，略带严厉地看着我。"嘿，"他责备说，"你刚才那样跑到马路上，不是件聪明的事，你可能会被撞死。我目睹整

160

个过程。""我知道,我知道,"我说,"但他带走了我所有的东西,我所有的……""没有关系,"那个人(后来才知道他的名字叫丹·布拉格特)说,"我们会把他找回来的,我保证。"

丹拿出手机,开始按照机场服务人员提供给他的名单,打电话给所有的出租车公司,他留信息给十几家公司,在打电话之间,他用冷静和安慰的口吻跟我说话,我真的开始相信,我或许可以拿回我的东西,我是指,那会是一场奇迹,但是丹一点都不担心,所以我也就跟着放宽心。

大约半小时后,他的手机响了,我屏息以待,祈求会有好消息。丹听了大约 30 秒,对我眨眨眼,然后说:"好,他正在回机场的路上,对吧?而且带着布兰克女士所有的行李?很好,我们会在这里等。"丹一直陪在我身边,直到半小时后,车牌号 047 的出租车停下来。毫无疑问,我所有的东西都在后座。

"你真是天使,丹·布拉格特。"我告诉他,"我永远不会忘记你。"他再次微笑,然后隐入人群之中。

我在飞回纽约的飞机上想,我不可能是唯一一个觉得必须事必躬亲,完全要靠自己的人,而且我也不可能是唯一惊觉自己想法错误的人。

所以我问了一些朋友和同事,他们是否也经历过"天使"出现的情况,这个问题好比开启了防洪闸门。结果证明,我问过的每一个人几乎都有过类似的经历,也就是,在他们生命中,曾经有人"突然"出现,成功挽救局面,甚至挽救他们的生命,或者是让他们觉得,尽管有种种不美好和失败的事情,这世界还是有很美好的地方。我敢说你也有一些这类故事,现在是回忆这些故事的好时机。

以下是我朋友劳瑞尔·伯恩斯坦(Laurel Bernstein)的真实故事,可以让你想一想。她开车穿过一场突如其来的可怕暴风雪,想要回家看她十几岁的儿子,当时能见度大约只有两英尺,但劳瑞尔自认为对路很熟,所以她继续前进,但是车速只有大约每小时一里。在她转弯时,车子甩尾,斜向一边打滑冲入壕沟,一个轮胎卡在壕沟里。

劳瑞尔没有受伤,但是她受到严重惊吓,她没有手机,也不知道要走多远才能找到公用电话。她觉得心脏开始怦怦乱跳,但又心想,在某处一定有一些可以帮上忙的人或物。她走出车子,到处察看,突然间,一个高大魁梧、年约十七八岁的年轻人,从附近的森林往她这里走来,他不发一语,挥手要劳瑞尔回到车里,劳瑞尔说:"他开始把车子从壕沟里推出来,把车推到距离壕沟几寸的地方,让我有摩擦力可以发动车子。我停了几秒,走出车外,想要谢谢他,但是他已经走了。走了!他就这样消失了!我永远忘不了那个年轻人。"

劳瑞尔花了两个多小时才到家(尽管只有几里的距离),但是她安然抵达。"有时候我会怀疑,这整件事是不是一场梦,"劳瑞尔说,"我是指,也许他真的是天使……"

我不知道,我遇到的丹·布拉格特或是劳瑞尔遇到的高大魁梧年轻人,是不是真的是天使,不论那代表什么,但我确实知道的是,她和我有一个共同点:我们不会再认为,我们完全孤立无援,必须自行处理一切,我们会寻求协助。事实上,不只这样,我们期望自己会得到协助。

不久前的某一天,我看到一名女性在纽约地铁做了这样的事,如果你曾经搭过纽约地铁,你会知道,这是一个空前绝后的奇迹。有一名妇女搭上人潮拥挤的地铁,她带着皮包和一个装满食品杂货的大购物袋,我确定,当地铁沿着车轨呼啸前进时,她宁可坐下,而非站着。我知道我会这样觉得,尽管我手上只有一个公事包。但是她做了一件我没做过的事:她期待地四下察看,脸上带着愉快的微笑,并且稍微扬眉,就好像期待某人看到她,会起身让座一样。有人真的在看,有个年轻人几乎是马上起身让座,她再次微笑,热情地谢谢他,然后坐下。

我想,哇,谈到期待天使!我是指,她不老、不跛,甚至没有沉鱼落雁之姿,但是她有种特别的勇气,这种勇气似乎会让人们想要帮助她。老实说,如果我有座位,我会让座给她。但是她也可能会散发完全不同的氛围——不需要任何人帮助,能够自行处理,并且认定即使她要求,也没有人会出面帮忙。我想这其中真的有一些可以学习的地方。

结果证明,这件事对我而言真的是大扫除。在我的情绪丢弃物清单中,它非常接近榜首,而且就像清单中的许多物件,我几乎每天都得思考这件事,否则就有可能重新落入令人挫败、事必躬亲的窠臼。

以下的作为可以协助我在生命中找到更多天使:当个天使。我的经纪人理查·派恩(Richard Pine)最近告诉我一个故事,他说他有个机会可以当天使,而且他也抓住了那个机会。

去年夏末的某天,他正在英国温彻斯特郡北部的洛克菲勒保护区散步,到了傍晚,他正准备离去时,遇到一行四人,分别是中年的父母、青少年的女儿以及另一名四十来岁的妇女。"他们非常烦恼。"理查说,"我问他们还好吗,带着浓浓英国腔的男人说他们迷路了,他们五个小时前到达,虽然手边有地图,却找不到路回到他们停车的地方,所以非常害怕。"

理查看了一下他们的地图,知道他们把车子停在距离目前位置大约30分钟步行的地方,也知道太阳很快就会下山,他们绝对无法在天黑前回到那里。"难怪他们既紧张又害怕,"他说,"我要他们放心,我会载他们回去找车子。他们不敢置信,他们以为,他们得在没有食物和饮用水的情况下在森林里过夜,而且很怕好几天都不会有人发现他们。"

他帮他们找到车,对方向他道别之后,理查说,他了解到,他何其有幸成为帮了小忙的天使,一个在黄昏时分突然冒出来、把他们载到安全地点的陌生人。经过这些日子,理查还没有忘记他的好运——成为天使的机会。"我知道,我多少可以提供他们最企望的梦想,也就是安全感,但是他们也给了我梦想:对别人的生命发挥正面影响力的机会。"理查努力发现更多的天使。"我们必须做的,就是接受行善和慷慨助人的机会,"他告诉我,"如果我们接受了,机会会自动大量出现。"

理查说得没错。在他告诉我他的故事几天后,我碰到一个当天使的机会,这个瞬间使我的生活充实起来。就在一个下雨天,我刚在家附近的一间小美容院吹好头发,因为我几小时后要到一间大型金融机构演讲,我沿着麦迪逊大道走着,看看能不能招到出租车。我撑着雨伞,以免雨水淋湿了我刚做好的头发,但是一阵强风吹来,把雨伞翻转过来,加上四处不见出租车,我试着走在麦迪逊大道上一排精品店的雨篷底下,但是于事无补,我的发型毁了,更别提我的衣服了。

那时候,有一辆出租车突然停在我面前。"太好了!"我大声说。车门打开,一位可爱的老太太从车里往外看。"雨下得很大,是不是?"她问道。

"是啊,希望你不用走太远。"我说。

"不用,"她说,"我正准备到对街的银行,但是我带了很多东西。"

她努力要走出出租车时,我看到她不只带着一个大皮包,还带了一个购物袋和氧气瓶,氧气瓶插进她鼻子,她一手拿皮包,另一手摸索着氧气瓶的把手,手上还拿着一根点着的烟。"我帮你拿,"我一边说,一边抓住氧气瓶,并且试着和她的烟保持安全距离。"你人真好,"她说,脸上绽放着美丽的微笑。我扶她走出出租车,把氧气瓶放在她旁边的人行道上,然后说:"我最好带你过街,风很大。""但是你会错过出租车,"她说。接着出租车司机说:"抱歉,小姐,我不能等,有一堆人在等出租车。"说完就把车开走了。

"没关系,"我说,"我很乐意帮忙。你让我想起我认识的一个可爱女人,就是我妈妈。""她抽烟吗?"老太太突然问道。"她总是烟不离手,"我回答,"即使插着氧气瓶。""上帝保佑她。"她说。在风雨交加中,我扶她过街,带她进银行。我转身要离开时,她把手放在我手臂上说:"你妈妈一定是个很棒的女人,因为你是天使。""噢,谢谢,她的确很棒。"

就这样。雨停了,风也歇了,虽然我必须走大约十几个街区,但我终于找到一辆出租车。我的头发乱七八糟,衣服看起来也很狼狈,但是我心里很舒服。演讲进行顺利,那天稍晚,吉姆问我今天过得如何,我说:"非常非常好。我碰到一个当天使的机会,这个瞬间使我的生活充实起来。"我告诉他那个带着氧气瓶的老太太的事情,他说:"那真好,让我想起你母亲。"

所以听着,如果你还在孤芳自赏、自认为可以独当一面,有时因此落入(讨人厌的)"殉难者"形象的话,现在正是放手的时候。你不孤单,其实还差得远呢!有很多很棒的天使很乐意帮你充实你的生活,如果你仔细留意,可能会看到一个。

绝不要怀疑天使的存在。寻找他们、期待他们、依靠他们。你自己也可以成为天使。

如果你遇到一个名叫丹·布拉格特的大好人,把麻烦告诉他,他发起了一个天使运动,好吗?还有,告诉他,我从来没有忘记过他。

天使总是突然现身,如何留住?

❶丢弃以下旧观念:我是孤独的,只有我可以完成事情,我必须独当一面。拟出一份清单,列出在哪些情况你总觉得非得自己来不可,然后把它们全扔掉。

❷假设有一些很棒的人非常乐意帮助你,甚至使你幸免于难。眼观四面,耳听八方,才不会在天使出现时错过他们或是误以为他们是别人。一般人习惯在别人预期时出现,天使刚好相反,总是突然现身。

❸运用每一个机会做别人的天使。除了这件事以外,没有别的事情会让你觉得更有价值。绝对没有。

❹告诉其他人,我们已经发起天使运动,请他们一起参与,全世界等我们出现,已经等了数千年。

〈我的丢弃物清单〉

· 我会摒弃一个观念：我很孤独，可以完成事情的人只有我而已。

总数：1 样东西

累积总数：50 样东西（耶！宝贝！）

〈你的丢弃物清单〉

总数：

累积总数：

丢掉 50 样东西了，庆祝吧！

如果你能丢掉 50 样东西,还有什么你做不到的事?

现在感觉如何? 你已经扔掉很多东西。你扔掉了一切,包括旧口红、怕自己不够好的恐惧、你阿姨送的丑陋餐盘、希望讨好所有人的想法、太紧的腰带乃至于小看自己。

说真的,你觉得如释重负,甚至兴高采烈吗? 我猜,你一定扔掉不止 50 样东西,你全都写下来了吗?你恭贺自己,并且和别人分享你的清单了吗?你鼓励他们扔掉他们的东西,拟出他们自己的清单了吗?如果你能登录 www.throwoutfiftythings.com,将你丢弃的项目张贴上去,谈谈你的故事,让我们能向你道贺,那就太好了。

我很希望你能告诉我们,对你来说,最难割舍的东西是什么?是实体的还是情绪的杂物?这两者之间的关联很有趣,对不对?不论那是什么,你都应该为自己所做的事由衷感到自豪。如果你能丢掉 50 样东西,就可以想象一下,你还能做哪些事。

这只是开始。从现在起,你会有所警惕。从现在起,你看着周围的实体杂物或重新在心中累积的情绪残骸,你会问以下几个重要问题:这样东西让我快乐吗? 我需要它吗? 这是我想要传递给他人的事物吗? 如果你无法回答"是",就要扔掉它。现在你已经具备勇气以及意志了。

既然甲板已经清空,有形和无形的障碍也都排除了,你希望接下来发生什么事? 对你而言,所谓的"美好"看起来是什么样子? 你猜得到吗? 你要作出决定。

翻到下一页吧!

第 4 部

凿开大理石后，要⋯⋯

确定一年半以内的目标

你心目中 100 分的人生，应该是什么样子？

现在的问题是：你是谁？你已经凿去所有无关的大理石，从生命中各种物品、垃圾和杂物中凿出自己的路，而且已经丢掉 50 样东西了，所以现在的你是一个怎么样的人？或者更重要的问题是：你想要成为什么样的人？事实上，现在到了你定义"美好"的时刻了，对你自己和这个世界而言，你看起来应该是什么模样？此时此刻，**你想成为怎样的人，就能成为怎样的人，但你必须写下来，才能够决定，也才能算数。**

一定有过一段时间，几天、几星期，甚至几个月，米开朗基罗对于大卫应该是什么模样、他代表了什么、他的存在有什么意义感到十分苦恼。要判断哪里是多余的、决定从那块数吨重的大理石凿掉哪些部分，一定会有感到为难的时候。但是，米开朗基罗当然不是随便凿掉哪些部分，对吧？他有目标，美丽的目标。我很确定那不会是"一成不变"（恕我使用这种措辞）的目标，而是一个流动的、机动性很高的目标。

每一个伟大的艺术家都会努力尝试各种创作艺术的媒介，在我的想象中，米开朗基罗一定是倾听大理石对他诉说了什么，然后作出回应，思考不同方向之间的细微差异，找出最能展现出大卫与众不同之处的选择。尽管目标会不断变化，但他还是要以目标、构图为基础，虽然这个目标和构图在一开始轮廓还很粗略，但是它会不断引导他向世界展现大卫，让大卫像的轮廓愈来愈清晰。最终，让大卫展现出自己的模样。

人生需要目标，才能让我们下定决心作出正面改变。如果没有目标，那么不管是国家、公司、家庭或个人，都无法创造出真正伟大、勇敢或美丽的事物。**目标勾勒出清楚的画面，显示出"美好"看起来像什么？或者是什么？**

沃尔特·迪士尼（Walt Disney）很聪明，他知道如何激励员工创造奇迹或至少创造魔力，所以他在佛罗里达州建立"迪士尼世界"时，对规划这座主题乐园的高级主管说："先盖城堡！"迪士尼知道，城堡是魔法所在，工作人员如果能先看到华丽壮观的城堡落成，就会努力克服种种困难，赋予乐园其他的部分生命。他们能在沼泽中铺设电缆，就算温度再高或全世界的蚊子都跑来，也阻挡不了他们。因为迪士尼教导大家：如果你可以感受魔力，你就可以坚持到底。这点屡试不爽。

所以问题来了：你的目标是什么？你的城堡是什么？你心目中100分的人生看起来是什么样子？

我们活在一个信息当道，而不是目标当道的世界中。大部分人不会每周（甚至每月或每年？）花五分钟问问自己，美好的人生看起来是什么样子？我们花很多时间收集资料、研究趋势、评估风险、规划行程，但这一切努力是为了什么？我们打算踏出的一小步,是如何走到人生下一个转角,而不是城堡。没有目标,很难放胆一搏;没有目标,一切都像在工作。难怪人生旅程中,我们很难避免陷入泥沼,因为如果无法保证隧道的终点有魔法出现,就很难看见光亮。

但不会再这样了,我们已经摆脱自己强加的枷锁,终于可以伸展一下发麻的肌肉,步上竞赛场。所以,你的目标是什么？我不是要你给个永远无法改变心意的答案,但一定要是今天的答案。花几分钟写下你的想法或念头,好吗？

你会出一本书或成为赛车手吗(我认识一个真的实现这种目标的女人)？你会拉着孙子的小手,沿着金黄闪耀的海滩散步吗？其实这是我的目标或是目标中的一个(我的目标很多,当你开始描绘目标,你也会有很多的)。但以下是我最大的梦想:也许五年后(再快一点会更好),我看到我牵着凯特和阿比盖尔的孩子,也就是我未来外孙的可爱小手,沿着美丽的海滩奔跑。我沿着海滩走着,内心充满了爱、活力、幽默和无限感激。

如果我想沿着海滩散步,现在一定要好好活着,对吧？而且一定要充满活力。这个目标驱使我每天早上 6 点 15 分醒来,准时到纽约中央公园报到,不管下雨、下雪或清晨的天色有多暗都要跑步,尽管我动过两次心脏手术。这个目标告诉我该做什么:吃得健康、规律运动、按时服药、保持乐观的态度;不该做什么或该割舍什么:洋芋片、冰淇淋、跷二郎腿太久(会造成血凝块)、为一点小事发脾气。简单讲,这个**目标协助我维持一个从未间断的习惯:留下什么以及丢掉什么的清单**。以我自己来说,这两项清单真的很长,只要你够幸运、够警觉,清单只会变长,不会缩短。千万不要低估目标的力量,它能引导你的手、你的心、你的思想。

我可以听到你说:"但是盖尔,我没有目标,我完全不知道我自己想要什么,或是对我而言,'美好'是什么模样!"没关系,放轻松,现在我们已经清除残骸,"美好"会自然出现,真的。而且奇妙的是,对曾经与我共事的许多人、甚至对我自己而言,一旦发现,答案(目标)就会清楚可见。我们会想不透为什么之前没有发现?既然我们已经走出情绪和实体杂物的困境,当然能够看到太阳升起的方向。

以下的练习可以协助你和你的大卫像多多接触。重点是,要让自己完全投入(好熟悉的论点,是吧)。

想象一下什么事情会让你激动、陶醉不已?不一定要符合逻辑或马上可以办到,但是如果真的实现,这件事会让你成为整座城市最幸福的人。你的脸因此发亮,你会尽全力实现这个梦想。

几年前我辅导过一位名叫蜜雪儿的女士,她在47岁时决定彻底转换工作领域。她花了二十多年经营一家非营利组织,提供老年人住宿。她热爱这份工作和它温暖人心的成果,但是她已经准备尝试新东西了。其实,她有一件心事。几十年来,她一直想要成为娱乐圈的律师。她出身法学世家,父亲是退休法官,哥哥是检察官,但是父母从未鼓励蜜雪儿去读法学院。她以为家人觉得她不适合当律师,但其实是家人以为她对当律师没兴趣,结果,双方想法正好和事实背道而驰(你要小心那些假设,它们每次都会整到你)。现在蜜雪儿所需要的,只是落实梦想的勇气。

所以我们花了一点时间建立目标——蜜雪儿的"城堡"。她想象着她的生活会是什么样子、她将来会在美国的哪里工作、和怎样优秀的同事共事,还有**最重要的是,达成目标的期限**。目标规划好时,蜜雪儿彷彿伸手就可以摸到她未来任职的律师事务所办公桌。

当蜜雪儿宣布要申请就读法学院时,她先生完全不敢相信。"你在开玩笑吗?"他说,"你知不知道你毕业的时候几岁了?50!"

"反正我总会 50 岁的。"她回答。

三年前,蜜雪儿毕业了(是的,她 50 岁了),她现在在华盛顿一家娱乐事业的专门律师事务所担任助理,她工作认真,而且乐在其中。她先生跟着她搬过去, 而且非常以她为荣,他自己正开开心心地规划要转行——在他 56 岁的时候。

当然,**你的目标不一定都与事业、健康有关,但一定要勇敢大胆**。几年前我办了一场研讨会,有个名叫伊莎贝尔的女性,她拥有一个我一直都很喜欢的目标:她决定要和未来的丈夫建立一种感情,这种感情让他们俩每年都更加相爱。在第一年的年底,她写下他们对彼此的感觉,然后是第二年、第三年……接着,她写下他们会如何一起创造那种感觉:白天突击传给他一封幽默、深情的电子情书;晚上则举杯喝酒庆祝过去发生的好事,即使只是一桩小事。她想出一个很棒的方式,叫做"今晚我们在一起"约会。在这种约会中,她和未来的另一半会轮流带对方去没有去过的新奇餐厅,看晦涩难懂的艺术电影,或是在月光下游泳,为对方制造惊喜。

几个星期前,伊莎贝尔寄了一封电子邮件给我,提到她和先生已经到达他们的城堡。她说:"我们的城堡多了一个厢房!"他们生了一个女儿,彼此的关系也更加亲密。伊莎贝尔和先生得到一个很宝贵的心得:**只要敢做梦,就一定做得到**。顺带一提,"今晚我们在一起"的约会并未因此终止,也许不如以前频繁,但以前怎么做,现在还是怎么做。

所以,现在该你开始盖自己的城堡了,你希望它是什么样子?希望它给你什么感觉?为它描绘细节,帮它粉刷,插上各种小旗子、高塔和塔楼。我可以看到我的外孙,听见他们的欢笑,看到他们的头发在阳光下闪耀以及他们小小身体展现出来的旺盛精力。我所掌控的事情中,没有一件能阻碍我跟他们在未来欢聚。我热爱汉堡和洋芋片,但是我不会再吃了,我讨厌变胖,但我会把他们养胖,事实上,只要能够沿着海滩奔跑,牵着外孙的小手,我可以忍受任何的困扰或不便。

现在该你了,你可以做得多好?

◎ **目标练习**

● 你参加一场宴会,里面的人你全都不认识,你觉得有点尴尬,不知道自己为什么要来,并且在想:要待多久离开,才不会显得失礼?突然间,你听到前面有人在交谈,话题非常吸引人、非常有趣,尽管不好意思,你还是直接走上前去,说:"不好意思,我听见各位正在谈论_____,所以我想过来自我介绍一下。"他们在谈论什么?养只黄金猎犬?托斯卡尼的烹饪学校?如何制作自己的电视脱口秀?如何把房子改装成一个彻底的环保屋?不论那是什么,只要能让你克服害羞勇敢出击,那都是一个很大的暗示:什么东西可以照亮你下一阶段的人生?

● 你参加另一场聚会,这次你还是不认识里面的任何人,而且也不知道为何要参加。不过,这次有人走向你,说:"什么风把你吹来?"你非常兴奋地说:"我正在_____,我很高兴能来参加。"另一个人说:"哇,真希望我也能做自己喜欢的事,这样就会像你这么热情!"那你的回答是什么?你开始上表演课?你写了一本食谱,并且为幼儿园小朋友办了一所烹饪学校?你刚入选为智力问答节目的参赛者?

如何盖出我的城堡？

❶问自己以下问题：如果任何可能都能实现，绝对不会失败，如果精灵会从瓶子里跑出来，说他可以实现你最想达成的愿望，你会许什么愿？什么事情会让你神采奕奕，为了实现它，你愿意做任何事情，除了出卖自己的灵魂？

❷不要太实事求是。你可以一直默默扮演你的小人物，但现在是高调当主角的时候了。

❸将你的目标具体化。建造城堡，加入你所能想到的一切细节，包括厢房、塔楼、旗子和高塔。如果目标是展开新事业，你的一天会怎么度过？如果目标是寻找另一半，那位撩动你心的灵魂伴侣会是什么样子？如果目标是维持苗条身材，当你穿着新洋装、带着迷死人的微笑、摆动有力的手臂走进餐厅时，会有什么感觉？

❹设定期限。设定目标实现的具体日期，不要只设定哪一年，哪一月哪一日也要很明确。还有，时间不要长过18个月，你已经等得够久了，该是如愿以偿的时候了。

记得那一刻

记住你勇敢表现真我的那一刻。

从决定性时刻(defining moments)汲取活力真的很重要,现在就是派上用场的时候。只有在这个时候,你才能真正了解我最喜欢的字眼:**决定**。

生活中有太多机会(如果留意的话,一天可以遇到好几次)可以决定,将来是什么、会怎么进行、是什么造就出我们今天的模样。到最后,结论就是某一个时刻(有时只是一眨眼的工夫)——我们选择前进或退缩的时刻——造就出现在的我们。

我曾经邀请与我共事的每一个人,包括高级主管、企业家、演艺人员,以及在不同工作、婚姻、旧我与新我之间摆动的人。这些人总是担心自己没有资格或权利如愿以偿,我请他们列出一份清单,列出自己生活中的决定性时刻。**决定性时刻,是指你在自己身上找到你不知道自己早已拥有或忘记自己拥有的特点,并且将它挖掘出来的时刻。因此,你可以将结果从负面扭转为正面。**决定性时刻是指,当你说"是的,我会的"或"不,我不会这么做"。决定性时刻是你划清或消除界线,表明到此为止或势在必行。**这个时刻总是发生在你很大的程度上不再以过去的方式对待自己之后。**我们全都有过这样的时刻,事实上,我敢断定,如果你仔细想,会想出很多这样的时刻。

这就是我要你做的事:开始回想这些时刻,无论大事或小事,回顾这些时刻,你要让自己说出:"嗯,这就是我。"这些时刻不必多伟大,像是拯救全球饥荒或是为了拯救堤防把手指头伸进堤防小洞①,但一定要是你展现内在勇气、言所当言、为所当为并且说到做到的时刻。还记得前面提到的制作人大卫·霍夫曼吗?大卫在那场可怕的大火中失去了一切,包括他过去每一部代表作。如同他说的,他可以选择完全停摆或是继续前进。他知道那是他的决定性时刻,他选择继续前进。

还有一些很棒的例子可以供你参考,激励你前进。

克莉丝塔是个 30 出头的年轻女性,她最近告诉我这个故事:她准备结婚的时候(其实距离婚礼只剩一个星期),她父亲表示拒绝陪她走进礼堂。

先解释一下背景:克莉丝塔 10 岁的时候,父亲就抛弃她们母女,而

---

①这是一个知名的荷兰故事。荷兰自古就是个与海争地的低洼国家,许多地方低于海平面,需要靠堤防保护沿海的居民。据说从前,有个小男孩经过村落的堤防时,发现有个小洞冒出水来,小男孩怕小洞引发堤防崩塌,所以用手指头塞住洞口。虽然水停止渗出了,但小男孩却也因此不敢把手指拔出来。等到晚饭时间家人出来找他,才发现这件事。这位小男孩的机警免去了全村遭水淹没的危机。

且很快就再婚了。不幸的是,那个女人嫉妒克莉丝塔,她长大以后,那女人千方百计阻止她父亲和她接触,她父亲并没有反抗。事实上,他默许了,所以克莉丝塔很少见到父亲。

克莉丝塔的母亲后来嫁给一个很好的人,他对克莉丝塔视如己出,非常支持克莉丝塔。她渐渐接受她的继父,对他的感情仅次于亲生父亲(她一再原谅他的行为)。20年后,克莉丝塔和未婚夫在为婚礼作最后的安排时,决定同时邀请父亲和继父陪她走进礼堂。

继父非常兴奋期待,但是父亲大发雷霆。他打电话给她,对她说:"你不知道在这么多人面前和一个跟你没有血缘关系的人一起走进礼堂,会有多丢脸吗?你怎么可以这么自私,想出这么卑鄙、伤人的手段?要我跟他一起陪你走进礼堂,我才不干!要谁陪你进礼堂,你决定吧!"

克莉丝塔一直是家里的润滑剂,总是忙着处理父母之间的争执而忽视自己的感觉,为了别人委曲求全。过去艰辛的20年在她眼前一一掠过,有很多不好的回忆,但也有好的回忆。她心想:"我要如何留下美好的回忆,摆脱不好的回忆?"她内心的声音回应说:"说出真相。"在这一刻,一个新想法突然冒出来,你可以称它为决心、勇气,或是拿过去来抵换未来的冲动,不论那是什么,它奏效了。她鼓起勇气对她父亲说出下面这段勇敢的话:

"当初你抛下妈妈和我,你知道我有多受伤吗?我得在学校努力解释为什么我爸妈会离婚,你知道这有多难堪吗?你知道你错过了我生命中多少次的曲棍球赛、学校表演,还有所有开心的、悲伤的时刻吗?你知道这些时候继父一直陪在我身边吗?他帮我准备午餐,在我难过时帮我擦干眼泪,放下手边的工作帮我看功课,或是做任何我要他帮我做的事情。我继父陪我走过这一切,我非常敬爱他。但是我也爱你,你是我爸爸。这是我人生中最重要的一天,我非常希望你能陪我走进礼堂,但前提是你愿意跟我继父一起走。你决定吧!"

克莉丝塔的父亲默不作声,事实上,他无言以对。良久,他才突然说:"我会去。我很抱歉,我一直都不知道……"他哭了。

事情解决了,克莉丝塔的父亲和继父一起陪她走进教堂,那不仅是她一生中最重要的日子,也是最快乐的日子。克莉丝塔沉浸在那个时刻当中,几乎忘记要跟我说故事。她发现,对她而言,那真是个痛快表现真我的时刻。

"老天,"我说,"你知道你有多坚强、多勇敢吗?如果这件事你做得到,任何事你都可以做到。""我现在知道了。"克莉丝塔说。

如果听完这个例子,你嚷着:"喂,盖尔,我的人生没有这种时刻。"请再想想我的好友雷·史卡拉法尼(Ray Sclafani)的例子。他是个勤奋工作、勇于任事、追求完美的人,但是当我请他回家拟一份清单,列出他一生中的决定性时刻时,他却拒绝了。"我办不到,我没有时间,我还有工作和家人要照顾。"他的孩子还很小。"而且反正,我没有任何决定性时刻。""做就对了,雷。"我说。

他做到了,两个星期后,他带着五页的决定性时刻清单回来找我。一旦他开始,就停不下来。"真担心我落下了哪个决定性时刻。""别担心,"我告诉他,"以后只会更多,不会更少。"

雷会开始列清单,是因为他想起九年级竞选班长时候的事。当时他全心投入,却落选了,但隔天他还是得去上学,还是得走过一样的走廊,跟同一批同学打招呼,这些他都办到了。他从自己身上发现了意志和勇气,这种意志和勇气,让当时年仅14岁的孩子的人生继续前进。谈到这段往事时,我们了解,雷落选其实是件好事,因为如果他当选,他对自己的了解将不及现在的一半。"你知道,我想到这件事,觉得就是这段小小的往事提醒了我:我有多么坚强,不管发生什么状况,我都能处理好。"是的,他办得到。雷最近自己开了公司,名叫"客户通"(ClientWise),提供最顶尖的金融咨询和关键执行方案,事业蒸蒸日上。

雷开始认真收集人生的决定性时刻,还有他妻儿的。他为每位家人记录决定性时刻,并且偶尔一起庆祝这些时刻。我们家也是这样,每次圣诞节前夕,吉姆、凯特、阿比盖尔和我会分享前一年的决定性时刻,有时候引人发笑,有时潸然泪下,但那总是会提醒我们,作为个人和家人,我们是什么样的人,是什么造就了现在的我们。

你正在想自己的决定性时刻吗?我敢说你正在想,但我还有一个故事可以激励你开始行动。这是我的故事,情节很可笑,但要不是听到雷讲到九年级竞选班长落选的事,我根本不会想起这件事。

这件事发生在为期两天的区域游泳赛上,它是由业余体育联合会(Amateur Athletic Union)举办的预选赛,通过的选手可以参加下个月的全国女子游泳赛。重点是:如果在区域比赛表现不佳,就无法参加全国比赛,而如果无法晋级决赛,就无法在区域比赛上有良好表现。所以,我一定要在预选赛中得到好成绩。我参赛的项目是 12 岁女子组 50 米自由式比赛。

"裁判和计时员准备好了吗?"发令员说,"游泳选手们,各就各位!"我们全都站上自己的起跳点,伏蹲在开始位置,等待枪响。我注视正前方,盯着 50 米水池的另一端,在印第安纳州火热的太阳下,水面熠熠发光,我的心怦怦乱跳。

我听到妈妈大喊:"盖尔,没问题,你一定做得到!"发令员举起枪,接下来一件怪事发生了,我隔壁水道的女孩好几次来回摇晃,我以为她快要掉进水里,这样会被视为起跑犯规!但是她没有犯规!我因为看着她,一下子失去平衡,在枪响之际,我的脚先着地落入池里,其他选手火速向前游时,我还站在水浅的那端,抬头看着裁判大叫:"嘿,那是起跑犯规!"

"不,那不是。"他说。

"可是,可是,那……我……"

"抱歉。"他耸肩说。

我开始哭,然后开始游泳。我边哭边游,一路游过泳池,到现在我还能感觉到我的手在划,脚在踢,好像它们有自己的生命一样。我最后加速冲刺,一只手在终点的瓷砖上拍下。等我抬起头,还是哭个不停。计时员喊:"第二名!"我发现,我以些微差距名列第二,我的教练鲍伯·巴士比(Bob Busby)抓着我的手臂,把我拉出水池,对我说:"游得漂亮,真是漂亮,我从没看过你游这么快。"其实,应该说他没看过我这么生气。

"可是我只有第二名。"我说。

"就算你是第五名,我也不在乎,"他说,"游得太漂亮了。"我的成绩好到可以进入决赛,我大受鼓舞,冲劲十足(但气还没消),因此预选赛得到第一名。但有趣的是,此后没有人提起我那面冠军奖牌,他们只记得我"从头到尾哭着游泳而得到第二名"。

在印第安纳州那个炎热的 7 月之后,我又经历了很多次看似不公、必须在后头苦苦追赶的"比赛",但是我很清楚我要做什么,我只问自己一个问题:你想怎么做,盖尔?退出比赛还是继续游?我可以告诉你,继续游感觉会比较好,即使我得到的是第二名、第三名或任何名次。

你呢?你会怎么做?你会作出什么决定?当全世界都跟你作对,当事情不公平或没有趣,而你刚输了选举,什么能够支持你继续前进? 你会选择什么? 退出比赛或继续游? 你知道答案。

 庆祝你有多么勇敢

❶回顾你的成长历程,回顾昨天,找出你的决定性时刻:你从自己身上找到你不知道自己拥有的优点的那一刻; 当你说:"就这么办!"的那一刻……列出这些大大小小的决定性时刻。

❷找出模式。你会看到,有时候,你会力排众议作出决定;有时候,你会为自己或别人挺身而出,尽管困难重重,你仍勇往直前。这时,有一个模式会浮现,就是"勇气"。

❸为这些时刻庆祝,和你所爱的人分享这个模式,也请他们分享他们的模式。

❹持续列出决定性时刻,并定期检查,即使你并未面临重大挑战或危机。还有,这么棒的习惯,别戒掉。

要让人难忘

不会有人在乎你知道多少,除非他们先知道你有多在乎。

这里有个好消息。除了我们已经决定的事,包括:要丢掉什么(生活中的情绪和实体残骸)、要保留什么(我们勇于表现真我的决定性时刻)、我们认定的"美好"是什么(我们正在建立的城堡、正在实现的目标)、是什么让我们如此独一无二(如果有很多人爱我们,那些不爱我们的人就不重要了)等等;在任何时机或场合,我们也要决定别人怎么看待我们。

真希望我更早领悟到这点。过去我一直以为别人对我的看法,不会因为我做了什么而有所改变。我不知道是我掌控他们对我的认知,而且我随时都可以改变我的行为,从而改变他们的感觉。

我说过上百万次:"这个世界未曾对你下过定论,它只知道你今天向它展现的部分。"在前面的章节,我的朋友泰莉就证明了这点,对不对？她颠覆别人先入为主的想法，意外演出极具说服力的朱丽叶。你该记得，她深信自己是朱丽叶，这种信念说服了我们，让我们不得不相信她就是朱丽叶。

现在你要作出决定。你要怎么做？你要怎么展现你自己？当你走进一个房间、靠近一个麦克风、接受一项访问或是走上台，你想要制造怎样的印象？你要观众记住你的什么？

传达你现在的角色和勾勒出你的角色一样重要。**如果人们不了解你，那不是他们的问题，是你的问题**。但是不论人数多或少，向他人展现全新的你所拥有的能力与魅力，可能是个令人却步的提议。根据"最常见的恐惧排行榜"，"公开演讲"排在"死亡"之前。也就是说，大部分人宁死也不愿意公开演讲。你觉得好笑吗？很好。你可以放心，有效而确实地表达自己不但不难，还很有趣。

我怎么会知道？这是我父亲教我的，我可以把他的方法教给你。

"你好啊，美人儿。"我父亲到佛蒙特州纽伯里市的法威尔夏令营（Camp Farwell）参加家长周，刚出黄色敞篷车时这样对我说。我张开双臂搂住他的脖子，开始哭泣。我爱我的爸妈，爱到痛彻心扉。此外，他们让我觉得我什么都能做到，甚至禁得起过去四周严重的想家。

我还记得当时我妈妈穿着白色法兰绒裙，深蓝色毛衣，上面印有马儿和蓝白相间的观众图案。我忘了我父亲穿什么，只记得他让我觉得，这个世界彷彿只剩下我一个人，他的眼中只有我。光是看见他，心情就会好起来。他长得很帅，兼具明星卡莱·葛伦（Cary Grant）和贾利·古柏（Gary Cooper）的风采，有着一里外就能看见的迷人微笑，还有运动员的力量和舞者的优雅。这一幕是如此令人难忘。

我父母现身后的几小时内，我在夏令营里的人气扶摇直上，之前没怎么注意到我的指导员,变得很热烈,不断问我:"盖尔,你可不可以帮我介绍一下你父亲?我是说,你的父母啦。"他们都说我父亲深具领袖气质(charisma)。

我不懂这个字的意思,所以那天晚上我父母带我出去吃饭时,我问了父亲。他想了一下,然后说:"我想,**领袖气质是指一种表现出来的热情。当一个人用热忱和乐观的态度,用精神力量打动每一个人,所表现出来的样子。**"

我父亲有"打动每一个人"的神奇能力,我在无数个场合中使用过他的技巧鼓舞别人,比方说第一次约会、演讲、面试。我也把他的技巧传授给许多准备走到聚光灯下的指导对象,比方说你。

我父亲以前在克里夫兰经营一家吸尘器直销公司,我记得我好几次在销售会议上看到他,他的风采令人着迷,他可以在顷刻之间,将死气沉沉的会议室变得满室生辉,他认为人们有能力实现最狂野的梦想,而他的工作就是要协助他们达成。

他是怎么办到的?他充分展现他的热情,从不退缩。他甚至愿意装疯卖傻,只为了让听者抓住重点,打动"每一个人"采取行动。他从不说教或劝诫。他是一个热情的聆听者,他的本能知道,要对别人表示尊重,最好的方式就是聆听,无论对方是大人或小孩、世界最顶尖的人物或陷入水深火热的难民。他也知道俗话说得好:**不会有人在乎你知道多少,除非他们先知道你有多在乎。**

你一定会觉得接下来我要说的事情很好笑,但在我上耶鲁戏剧学院之前从未扮演过女生的角色,我不是在开玩笑(你一定很纳闷,那我是怎么考上这间一流学府的,对不对?到今天我也还没搞清楚)。如同我在前面所说的,我念女子大学时,一直都是扮演男主角。我除了在《失魂记》(*Damn Yankees*)中扮演过魔鬼(我最喜欢的角色)外,还在《彩虹仙子》(*Finian's Rainbow*)中扮演伍迪,并且在《仲夏夜之梦》中扮演巴顿(一个喧闹的、无忧无虑的角色),那时真是好玩。

但是戏剧学院是个严肃的地方,我的同学可不是等闲之辈。我们刚进去时有一个作业,是一个一个走上舞台,说明我们是谁、从哪里来、扮演过什么角色。底下观众是戏剧学院其他的一年级生,他们要投票决定我们是"有分量"(heavy)还是"很小品"(light)。我现在可以告诉你,小品是不好的,那表示你无法登上舞台,你没有风采、没有气势。小品一定会被遗忘。

上台的前一晚,我打电话给我父亲。"我做不到,"我说,"我感觉很糟,我怎么告诉他们,我只有扮演过的男生的角色?这些人在外外百老汇(Off-Off Broadway)① 演过音乐剧,他们几乎都是专业人士,他们会知道我根本不算什么。"

"好,我们一起重头想一遍流程,"他说,"你要这么做,以活泼乐观的态度走上舞台,预期观众会爱上你。另一个重点是你要把注意力放在观众身上,而不是你自己身上。"

我父亲教了我许多争取别人支持的方法, 而这可能是最重要的一个,每当你要给人留下正面印象,包括初次约会,这招一向管用。不要去想:"我表现如何?他们喜欢我吗?"要关心:"他们觉得如何?他们需要什么?"要向外看,不要向内看。

---

① 纽约百老汇音乐剧依照受欢迎程度分成百老汇音乐剧(Broadway)、外百老汇音乐剧(Off Broadway)与外外百老汇音乐剧(Off - Off Broadway)三种。外外百老汇音乐剧有许多实验性质的音乐剧,如果票房很好,就会移到外百老汇演出,只有票房非常好的音乐剧才能在百老汇演出。

接着，我父亲说了一段我永远不会忘记的话。**"虽然这听来有点老套，但卓越的表演或演说，或单纯只是卓越的沟通，近乎于爱。你得非常热爱观众，才会想尽方法让他们理解你的想法或信息。当他们感受到这点，会立刻回报你的爱。"**他又说："噢，别忘了向他们表现你的热情。"

所以我走上舞台，照他教我的话做。我谈到我多爱演魔鬼这个角色、我和室友的"罗曼史"以及扮演巴顿多么有趣。我告诉观众，当学妹们开始迷恋我时，我就知道我演得多传神了。这番话让大家哄堂大笑。我全神贯注(甚至爱上)在座的每一位学生，最后，我得到大家的起立鼓掌。最棒的是，最后宣布我是"有分量"的！信不信由你，后来我甚至能够扮演女孩。

我父亲几年前就过世了，但是我每天都会想到他，想到他对人们的影响，想到他改变了他走进的每一个房间的气氛，想到他的魅力和慈爱。一直到现在，每当我走在克里夫兰的欧几里得大道，还是会有人跑来问我："华伦·布兰克是不是你父亲？我听过一次他的演讲，我永远忘不了。"我也忘不了。

你的情况如何？如果你准备在下一个精彩的人生阶段充分展现自我，你就必须坦率、大方地展现自己，而且要令人难忘。不论你只是要参加学校的亲师座谈会，还是要面对华尔道夫酒店座无虚席的观众。就算所有的证据都显示情况对你不利，比起讨厌，学着喜欢做这件事并不难，从平庸变超凡也不是什么难事。

好消息是，领袖气质不必与生俱来，靠后天也可以得到。这种气质完全取决于你的态度。感谢我父亲的协助，以下方法可以让你得到这种魅力无法抵挡的态度。

领袖气质绝非浑然天成,而是后天养成

❶**信念**。你必须相信,你是此时此刻走进这个房间、接近这个麦克风、接受这项访问或是走上这个舞台的不二人选;你是讲述这个故事、推行这个观点、拿到这张订单的不二人选,就是你。你不受阻碍,思路清晰,而且有挡不住的魅力。

❷**勇气**。走到聚光灯下需要勇气,而你已经具有勇气。再看一次你的决定性时刻。记住,你已经知道该怎么掌控现场、表明态度、传达观点。但在开口说话前,提醒自己:这是你最好的时刻、最好的表现,你能打出最漂亮的一球,从火灾里把人救出来。带着你的决定性时刻走上舞台,带着勇气、拥有勇气、享受勇气。

❸**热情**。如同我父亲说的,领袖气质是一个人展现的热情。凡事都是从热情开始的。而最后,热情会带来好处。你要相信自己对"美好"所抱持的目标,展现你的热情。我们相信热情的人,信任热情的人。简而言之,热情的人让人难忘,不论是政治人物、企业家、首席执行官、歌手或是单人脱口秀演员,热情必胜!

❹**放手**。要放开任何负面看法或是觉得自己不够好的恐惧。检查你的50样丢弃物清单,特别注意你的"情绪丢弃物",不要再尝试坚持完美,或是以为你必须取悦每一个人。记住,如果有够多的人喜欢你,不喜欢你的人就不重要。

❺**将注意力转移到观众身上**。很讽刺,对不对?注意自己没有用,

要注意观众。这就是为什么你不必紧张的原因,我的朋友。转换一下思维,把"我做得如何""他们是否喜欢我""我看来如何",转换成"他们觉得如何""他们需要什么""怎么做才能够符合他们的需求"。你偶尔会觉得注意力飘回自己身上,那就重新将注意力转回去。你爱观众,观众会立即回报你。

❻**激励和启发**。不要训话或说教,没有人想要被训斥或唠叨。记住这句话:"不会有人在乎你知道多少,除非他们先知道你有多在乎。"你一发现自己落入说教模式,就要马上停止。2008 年民主党初选时,希拉里和奥巴马是主要候选人,他们两人的主要差异是,一个走"说教"路线,一个走"启发"路线,猜猜看谁是哪一种?

❼**以观众的心声为诉求**。你必须知道你的观众想要什么,不论观众只有一个人还是一屋子的人。他们的目标是什么?什么会让他们担心、喜悦、感动? 如果你要得到观众的认同,请设计你的要求,作为实现观众目标的方法。如果观众知道你了解他们,知道他们想要什么或对什么感兴趣,他们就会放松,真正开始听你说话。当这种情形出现时,你就成功了。

❽**期待观众爱你**。带着活力和乐观走进每一间会议室,想想艺人雪儿,每当她站在舞台上,都会作出重大决定:她会和观众分享心情,观众会知道她爱他们,而他们也会回报她的爱。散发正面能量可以扭转情势,创造有利局面。记住,这是你的时刻,为什么不该获胜? 为什么要让别人获胜?你值得胜利,你已经准备就绪,而且你会令人难忘。

找到象征你的歌，大声唱！

有一首自己的歌，比较容易变得勇敢。

还记得大卫像的故事吗？有人想要看看米开朗基罗的最新作品，米开朗基罗拿出大卫雕像给对方看。我可以想象米开朗基罗炫耀地拉下雕像盖布的那一幕。好吧，也许他没有说："看！"但他可能曾经想要这么做。

这是你的"看"时刻，这是你最后一次永远将盖布拉下，走出大理石，走出过去的残骸，走进未来的光明——在这个未来里，不会再有后悔、害怕失败、错失机会、自我设限、塞满的衣柜或干掉的胶水。在你为自己设计的未来中，最终的目标是一个目标，也就是你对美好事物的目标。现在是最后的大清仓了，在这个时候，你丢掉自己给自己的安全感要求，接受对未知事物的不安全感。

你准备好了吗？鼓声响起，乐队指挥举起指挥棒，音乐家们准备演奏你的歌曲——等等,他们准备演奏什么歌曲?你的歌曲是什么?你一定要有一首歌。我的意思是,数不清的乐队曾经投入战争、出发去拯救世界、发起运动,或是当下就奋起,却不会没有准备一首歌就上阵的。绝对没有!风笛、横笛和鼓,声调高的总是会跑在前面,我们都需要一首歌。

事实上,我很相信音乐的魔力,所以我请每个客户找到象征他们的歌,大声唱出来。找到你的歌没有那么困难,我可以说个小故事给你听。不久前,我辅导一位名叫罗杰的40岁男性,他任职于一家资产管理公司,他的上司要求他加强沟通技巧,因为他偶尔会遇到和他一样冷漠无趣甚至傲慢的潜在客户。其实,他百分之百投入且热衷于销售工作(很有趣吧?我们的本意和最后的结果之间,往往有很大的落差)。但是罗杰有一点很棒:他一开始很难接受自己竟然带给别人冷漠的印象,但他克服这个问题之后,就成为我辅导对象中最愿意改变的学生之一,让"加强沟通技巧"变成再简单不过的事情。

在我们最初的谈话中,罗杰先聊到体育运动,原来他在高中时是足球校队的明星球员,我们聊到他最难熬的一场比赛,在那场比赛中,他带领队伍转败为胜,赢得联盟冠军,也为自己争取到"最有价值球员"奖项。"你奋力踢球时,心里在想什么?"我问,"你走进球场时,心里在想什么?你有喜欢的歌吗?"

"真不敢相信你问我这个,"他说,"我的确有一首歌。我每次在前往球赛的路上都会播这首歌,在球场上的时候也会在心里唱着,如果我告诉你是哪一首歌,你一定会崩溃。"他说。

"尽管说,我应该应付得来。"我笑着说。

"是诀窍合唱团(The Knack)的《我的沙罗纳》(*My Sharona*,1979 年度冠军曲),我爱死这首歌了,它总是让我热血沸腾。"

"这就是答案,"我说,"《我的沙罗纳》。听着,你得了解,你现在的工作只是另一种形式的球赛,好消息是,你也拥有最有价值球员的内在条件,你接触客户时,只需发挥你在另一个球场上所运用的精神和活力就可以了。"

"等等,"他说,"你是说,我应该唱《我的沙罗纳》? 你在开玩笑吧?"

"不是!"我回答。我非常兴奋,所以起身挥舞我的双臂,"你必须在每一次开会的路上高唱这首歌,在走进会议室时在脑中听着它。来吧,你敢吗?"

罗杰从善如流。我知道这听起来很疯狂,但高唱一首看似愚蠢的歌,会使一切大不相同。罗杰走出自我,变身激励者,他激励客户,他们很喜欢这样。现在,每当上司想要谈成哪笔生意,都会找他去谈,而罗杰也不负众望。他的做法是,在他觉得无人能挡的时候,重新掌握生命中的某个时刻,并且重播让他有同样感觉的歌。

另一个我认识的人,现在正面临人生最大的挑战。事实上,他正在为活下去而奋斗。他罹患前列腺癌,正在接受化疗,努力战胜病魔。他觉得他拥有的武器中,最重要的一项是他的正面能量和不屈服的乐观精神。他说,他从象征他的歌中得到这种力量。

他接受治疗之前,甚至在他实际进行治疗时,他都会听《狮子王》(The Lion King)的前奏,每次都很有效。"你真该听我唱唱,盖尔,"他说,"我大声唱着那首歌,感受到我的身体有所回应。那时候,我知道我已经打败病魔。"

有一首自己的歌,比较容易变得勇敢,也比较容易让人无法抗拒。

有位名叫派蒂的美女失业很久,她得到很多面试机会,但是没有一次成功。一部分是因为职位不合她的兴趣,一部分是因为现在经济不景气,许多企业希望找到充满活力和乐观精神的员工,而她并没有散发出这种气息。但是最后她终于找到一份完美工作,在 MTV 台担任资深协调人员,负责一个她非常喜欢的节目。该公司千挑万选,将应试者刷到只剩两个人,派蒂是其中之一,她在最后的面试前来找我。"我的天啊,盖尔,"她说,"我真的、真的很想要这份工作,他们一定要挑上我。我好紧张!我该怎么做?"

"你一定要唱你的歌,派蒂,"我说。"等等,"她说,"什么歌?我没有歌。""你当然有,"我说,"你只是不知道而已。哪一首歌最能够描写你现在想要的那种感觉?你知道,你很清楚你是这份工作的不二人选、你等得够久了,就是它了,你是——""我了解了,"派蒂说。"是艾尔顿·强的歌,《坏女人又回来了》(*The Bitch Is Back*)。"

派蒂在去面试的途中,一路大声唱着她的歌。她一走进去,就展现活力,散发自信和正面能量,令人不可抗拒。"他们别无选择,"她事后告诉我,"我太炙手可热了,他们不得不雇用我。"

他们确实雇用了她。

我也有一首歌,在我必须全力以赴或是危急关头、在我看见大好机会而不愿错失、在我对自己说"这次不要搞砸"时,都会唱这首歌。

歌曲出自电影《妙女郎》(*Funny Girl*),歌名是《我是最伟大的明星》(*I'm the Greatest Star*),很久很久以前,我听过芭芭拉·史翠珊唱过。"我是最伟大的明星,我是最伟大的明星,至今无人能及,但是没有人知道。"有时候我会小声唱,有时候我会大声唱出来。以下迷人的歌词,帮助我恢复活力,让我感到一阵激动,让我想起,我才是真的可以令他们赞赏的人:"低头看,你不会看到我;试着仰望天空,因为我就在上头……"

每次我面对挑战或攸关尊严的情况,我都会唱我的歌,这种做法一向管用。我不是指我每次都能成交或成功,但我总能在会议室中表现出最好的一面,不论是媒体访问、演讲或是满座尽是陌生人的鸡尾酒会。

你需要做哪些事,才能够确定一项事实——你是天时地利人和众望所归的不二人选?你在决定要充满活力、令人无法抗拒和永志不忘的时候,应该要听和唱什么歌?

以下是你该做的事:找到你的歌,大声唱出来。为你早已确定的所有事实而唱。为什么不呢?这是你一直在等待的时刻,全世界都在等待你走到镁光灯下,在那些飞扬的旗帜下,带着丢掉50样东西后的轻盈与轻松,怀抱着目标以及鼓励你前进的城堡,你心中回荡着一首歌……你正唱着一首歌。

可以揭幕上演了。

 ## 找出自己的歌

❶找到这首歌,回想以往你觉得意气风发的时刻,也许当时就读高中的你,刚看完一场精彩绝伦的美式足球赛,正在搭车回家的路上;或是正在参加一场舞会,有个帅哥(美眉)邀你共舞。他们播着什么歌?你哼着什么歌?那就是你的歌。

❷唱出这首歌,愈大声愈好,或是在电梯中和熙来攘往的街上对自己唱(其实我今天早上在中央公园慢跑时,有个经过我身边的人正在高唱"新的方向"之类的歌,真的让我精神一振)。在前往面试、大型简报、第一次约会或是去学校接孩子的路上唱。

❸分享这首歌,问问某个你喜欢的人,他(她)专属的歌是什么,也把你的歌告诉他们。

❹运用这首歌,记住,不论你有多担心、不论你的进度落后多少,你的歌都能帮你获得成功。

向世界呼喊

好好掌握,这是你的时刻,你的人生。

现在,眼前畅通无阻,没有任何杂物阻碍你,因为你知道你是谁,你人生的意义何在,你恢复了活力和精神,你能贡献能力和勇气。现在是向世界发布你的宣言的时候了,不必等待邀请,大声说出你的目标。

请你完成以下句子。

·我是_____,而且我_____,没有人做得比我更好。

·我的目标是_____

·我准备抛开的事物中,最困难也最重要的一样是_____,确定已经发生的事情是_____

·我的歌是_____

现在你不只令人难忘,而且魅力无法抵挡。

每天都要看着你的宣言,在早上大声念出来,这是你的时刻,我的朋友,好好掌握。

致 谢

我要特别感谢劳瑞尔·伯恩斯坦(Laurel Bernstein)、珍·柏雷契(Jane Blecher)、丹·布拉格特(Dan Blodgett)、艾迪·布里尔(Eddie Brill)、莎莉·卡尔(Sally Carr)、贝丝·康斯托克(Beth Comstock)、卢安·艾尔达(Lue Ann Eldar)、大卫·伊凡格利斯塔 (David Evangelista)、玛莎·吉利兰(Martha Gilliland)、大卫·霍夫曼(David Hoffman)、菲尔·休(Phil Hough)、帕文·克莱恩(Parvin Klein)、艾伦·马它拉索(Alan Matarasso)、玛丽克里斯·梅利(Marychris Melli)、派翠西亚和罗杰·米勒 (Patricia and Roger Miller)、大卫·莫尔科(David Molko)、派蒂·柏金斯(Pat Perkins)、理查·潘恩(Richard Pine)、史考特·普雷斯(Scott Preiss)、凯西·罗伯(Kathy Robb)以及雷·史卡拉法尼(Ray Sclafani)。

在撰写本书的期间,担任文学经纪人的挚友理查·潘恩不断鼓励我。他每天都说:"继续写,盖尔。"这句话发挥了作用。凯伦·墨戈罗(Karen Murgolo)是全世界最棒和最能给予支持的编辑,事实上,她的整个团队都非常棒。马休·布拉斯特 (Matthew Ballast) 和艾利卡·杰尔巴德(Erica Gelbard)是杰出的公关人员 ,汤姆·哈德杰(Tom Hardej)还成为我的"组织缪斯"(organizational muse)以及独一无二的朋友。

最重要的是,我无法用言语表达我对吉姆、凯特和阿比盖尔的感激,他们是我最好的家人,一直都是。

我们都是旅途中热情的朝圣者,朝着不确定但光荣的未来迈进,努力摆脱累赘的有形物质以及让我们犹豫、迟疑、事后责怪自己,或是造成我们半途而废(但愿不会发生这种事)的一切事物。

我真的很高兴你与我们同在。

图书在版编目(CIP)数据

丢掉 50 样东西,找回 100 分人生/(美)盖尔·布兰克 著;林丽冠译.
—天津:天津教育出版社,2010.4
ISBN 978-7-5309-6030-1

Ⅰ.①丢… Ⅱ.①盖…②林… Ⅲ.①家庭管理–通俗读物②情绪–
通俗读物 Ⅳ.①TS976–49②B842.6–49

中国版本图书馆 CIP 数据核字(2010)第 062904 号

丢掉 50 样东西,找回 100 分人生

出 版 人	胡振泰	

作　　者	盖尔·布兰克
策　　划	王文侠
责任编辑	王艳超
封面设计	弘文馆·鲁　艳

出版发行	天津教育出版社
	天津市和平区西康路 35 号
	邮政编码 300051
经　　销	全国新华书店
印　　刷	北京汇林印务有限公司
版　　次	2010 年 5 月第 1 版
印　　次	2010 年 5 月第 1 次印刷
规　　格	32 开(640×950 毫米)
字　　数	100 千字
印　　张	6.875
书　　号	ISBN 978-7-5309-6030-1
定　　价	23.80 元